沖縄県現行市町村区分図

2021年1月1日現在

伊江村
伊江島
古宇利島
今帰仁村
宮城島
大宜味村
国頭村
屋我地島
東村
本部町
奥武島
水納島
瀬底島
名護市

恩納村
宜野座村
金武町

沖 縄 諸 島

JN101632

読谷村
伊計島
うるま市
宮城島
嘉手納町
沖縄市
平安座島
北谷町
浜比嘉島
薮地島
北中城村
宜野湾市
中城村
浦添市
那覇市
西原町
津堅島
南風原町
与那原町
城市
南城市
久高島
糸満市
奥武島
八重瀬町

大東諸島

北大東島
北大東村

南大東村
南大東島

沖大東島
北大東村

はじめに

　沖縄の黄金言葉（ことわざ）に，「慶良間や見ゆしが　まちげー見いらん」（慶良間は見えるが，まつげは見えない＝灯台下暗し）というのがあります。遠くにあるものや，遠方でおこっている出来事には気づけても，身近にあるものや，身のまわりでおこっている出来事には気づかない時などに使われることばです。私たちにとって，あまりにあたりまえなことが，じつはすごく大切だということを気づかせてくれることばでもあります。

　沖縄学の父といわれる伊波普猷は，「汝の立つところを深く掘れ，そこには泉あり」というドイツの哲学者・ニーチェのことばを引用して，私たち沖縄の歴史や文化はもとより，私たちをとりまく身近な出来事などを学ぶことの大切さをのべています。みずからの生まれ育った地域には，先人の知恵や自分自身の存在理由をとき明かしてくれるヒントが埋まっているからです。そこを掘りおこし，見つめなおすことが，私たちのものの見方や考え方をやしなう礎にもなるのです。

　本書は，私たちの沖縄県の特徴や，歴史・文化，人物，自然，観光，そして沖縄戦や現在の基地問題にいたるまで，沖縄について知っておきたい基本的な教養をクイズ形式でまとめた，少年・少女むけの「ウチナー総合学習書」です。本書を学ぶことで，沖縄をとりまく社会状況や自然環境などの課題を認識し，現代社会における主体的な自己の生き方と，沖縄のあるべき姿について考えるきっかけになってくれれば幸いに思います。

著者

◆ 目次 ◆

はじめに

第2部　琉球・沖縄の歴史や文化など

見たことあるよ！（おきなわの動物・植物）

・

・

・

食べたことあるよ！（おきなわの食べ物）

・

・

・

※書いてみよう！知っていること、経験したこと。

第 1 部

現在の沖縄県

1 沖縄県について，知っておきたいこと

1 沖縄県のシンボルについて，正しいものを選んでください。

（1）沖縄県の県章は，どれでしょうか。（　　　）

a

b

c

（2）沖縄県の県花は，何でしょうか。（　　　）

a．ハイビスカス

b．ブーゲンビレア

c．デイゴ

（3）沖縄県の県木は，何でしょうか。（　　　）

a．リュウキュウマツ

b．ガジュマル

c．フクギ

（4）沖縄県の県魚（ウチナー名）は，何でしょうか。（　　　）

a．イラブチャー

b．アカマチ

c．グルクン

（5）沖縄県の県鳥は，何でしょうか。(　　　)

a．ノグチゲラ

b．カンムリワシ

c．ヤンバルクイナ

（6）2020年4月，新たに沖縄県のシンボルとなった県蝶は，何でしょうか。
さなぎは黄金色で，ゆっくり優雅に飛ぶのが特徴です。(　　　)

a．アサギマダラ

b．オオゴマダラ

c．コノハチョウ

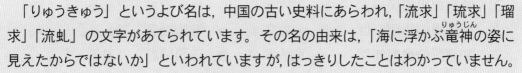

ナカユクイ　「琉球」と「沖縄」の呼び名のちがいは何？

　「りゅうきゅう」というよび名は，中国の古い史料にあらわれ，「流求」「琉求」「瑠求」「流虬」の文字があてられています。その名の由来は，「海に浮かぶ竜神の姿に見えたからではないか」といわれていますが，はっきりしたことはわかっていません。

　「琉球」の文字は，14世紀後半に中国の皇帝から琉球が王国として認められるようになってから使われるようになりました。

　「おきなわ」というよび名は，沖縄の人びとが自分たちの住む沖縄島を「ウチナー」とよんでいたことに由来します。その意味は「沖に浮かぶ縄のような形をしているから」と言われていますが，これもよくはわかっていません。1609年の薩摩の侵略後，島津氏の支配下で「沖縄」の文字があてられ，おもに日本との関係で使われました。

　1879年，日本政府が「琉球王国」をほろぼして沖縄県としたことで，よび名も琉球から沖縄へとあらためられたのです。

　ところが沖縄戦のあと，沖縄を日本から切り離した米軍は，沖縄の独自性を強調して，「琉球」というよび名を多く使いました。そのころにうまれたのが，「琉球銀行」や「琉球大学」なのです。

2 沖縄県の東西南北の端について，（1），（2）の問いに答えてください。

（1）沖縄県の最北端の島はどこでしょうか。地図中のa〜cから選んで，記号で答えてください。（　　　）

奄美諸島
喜界島
奄美大島
c.硫黄鳥島
徳之島
b.沖永良部島
沖縄諸島
伊平屋島
a.与論島
伊是名島
伊江島
粟国島
渡名喜島
沖縄島
久米島
慶良間諸島

　　a．与論島　　　　b．沖永良部島　　　　c．硫黄鳥島

（2）沖縄県の東・西・南の端について，正しいものを選んでください。
　①　沖縄県の最東端は，（a．尖閣諸島　b．北大東島）である。（　　　）
　②　沖縄県の最西端は，（a．与那国島　b．波照間島）である。（　　　）
　③　沖縄県の最南端は，（a．南大東島　b．波照間島）である。（　　　）

3 沖縄県に関する次の文に，○×で答えてください。

（1）沖縄県は，出生率（千人あたり）が全国一高い。（　　　）
（2）沖縄県は，男女とも長寿日本一である。（　　　）
（3）沖縄県は，百歳以上（10万人あたり）の人口が全国一多い。（　　　）
（4）沖縄県は，離婚率が全国一高い。（　　　）
（5）沖縄県は，晴れている日数が全国一多い。（　　　）
（6）沖縄県は，完全失業率が全国一高い。（　　　）
（7）沖縄県は，高校・大学への進学率が全国一高い。（　　　）
（8）沖縄県の子どもの貧困率は，全国平均の約2倍である。（　　　）

4 沖縄県に関する問いについて，正しいものを選んでください。

（1）沖縄県の面積は，日本の全国土面積のおよそ何％でしょうか。（　　）
　　　a．約0.6％　　　　　b．約6％　　　　　c．約16％

（2）沖縄県の面積は，全国で何番目の大きさでしょうか。（　　）
　　　a．41番目　　　　　b．44番目　　　　　c．47番目

（3）沖縄県には，どれだけの島があるでしょうか。ちなみに，有人島（人の住んでいる島）は47島（2018年現在）あります。（　　）
　　　a．80島　　　　　b．120島　　　　　c．160島

（4）沖縄県の島で，沖縄島についで面積の大きな島はどこでしょうか。（　　）
　　　a．宮古島　　　　　b．石垣島　　　　　c．西表島

（5）2021年1月現在，沖縄県の総人口はおよそ何万人でしょうか。（　　）
　　　a．約126万人　　　b．約136万人　　　c．約146万人

（6）沖縄県の年間平均気温は，およそ何度でしょうか。（　　）
　　　a．約21℃　　　　　b．約23℃　　　　　c．約25℃

（7）沖縄県の年間平均降水量は，およそ何mmでしょうか。（　　）
　　　a．1040mm　　　b．2040mm　　　c．3040mm

（8）沖縄県で一番高い山は，どれでしょうか。（　　）
　　　a．於茂登岳　　　　b．与那覇岳　　　　c．古見岳

（9）沖縄県でもっとも流域面積の広い川は，どれでしょうか。（　　）
　　　a．国場川　　　　　b．浦内川　　　　　c．比謝川

（10）沖縄県で一番長い橋は，どれでしょうか。（　　）
　　　a．伊良部大橋　　　b．古宇利大橋　　　c．瀬底大橋

次の復帰後の沖縄県知事と関係のある政策について，それぞれの問いに答えてください。

代	知　事　名		主　な　政　策
初代		屋良朝苗 や ら ちょうびょう 1972 ～ 1976	復帰記念植樹祭，若夏国体，沖縄国際 （①　　　　　　　　）の三大事業を開催。
2代		平良幸市 たい ら こう いち 1976 ～ 1978	交通方法の変更，「文化立県」への素地づくり，沖縄の産業まつりを開催。
3代		（ª　　　　　　） 1978 ～ 1990	沖縄国際センター建設，海邦国体開催，世界の（②　　　　　　　　）の開催。
4代		（ᵇ　　　　　　） 1990 ～ 1998	首里城正殿の復元，「平和の礎」建立，平和行政の推進，女性副知事の誕生。
5代		稲嶺惠一 いね みね けい いち 1998 ～ 2006	辺野古に普天間基地を移し，（③　　　　　）期限付きの軍民共用施設」を公約。「沖縄平和賞」創設。
6代		仲井眞弘多 なか い ま ひろかず 2006 ～ 2014	沖縄（④　　　　　　　　　　）をつくる。普天間飛行場の名護市辺野古への移設で埋め立てを（⑤　　　　　　　　）。
7代		（ᶜ　　　　　　） 2014 ～ 2018	オール沖縄で，辺野古への新基地阻止を訴える。こどもの貧困対策にとりくむ。

（1）空欄a～cにはいる知事名を，語群から選んで書いてください。

語群　| 瀬長亀次郎　　西銘順治　　翁長雄志　　大田昌秀 |

（2）空欄①～⑤にはいる出来事を，語群から選んで書いてください。

語群
| 21世紀ビジョン　　21世紀開発計画　　承認　拒否 |
| 15年　　25年　　ウチナーンチュ大会　　海洋博覧会 |

2021年現在の沖縄県知事の名前を書いてください。

（　　　　　　　　　　　）

7 2012年，復帰40年を記念して制定された「県民愛唱歌〜うちなぁかなさうた〜」は何でしょうか，記号で答えてください。（　　）

    a．芭蕉布　　　　b．てぃんさぐぬ花　　　　c．島人の宝

8 2020年度に第10回沖縄平和賞を受賞したのは，何という団体でしょうか，記号で答えてください。（　　）

    a．中村哲を支援するペシャワール会

    b．認定NPO法人　難民支援協会

    c．特定非営利活動法人　国際協力NGOセンター（JANIC）

9 沖縄都市モノレールについて，空欄①〜⑤にはいる適語と数を語群から選んで書いてください。

  沖縄都市モノレールは，（①　　　　　）レールという愛称でしたしまれ，路線は那覇空港駅から（②　　　　　）駅までの全（③　　　　　）駅からなります。この路線中に，軌道系交通としては日本最南端の駅となる（④　　　　　）駅と日本最西端の駅となる（⑤　　　　　）駅があり，モニュメントが設置されています。

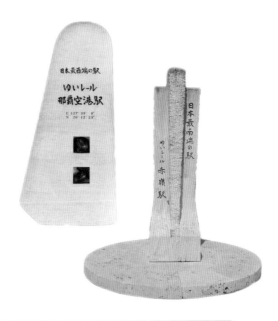

    語群　　| 15　　19　　25　　首里　　安里　　赤嶺　　ゆい
　　　　　　　　　りゅう　　那覇空港　　ミニ　　てだこ浦西　　経塚

1 次の地図の番号にあてはまる市町村名を書いてください。

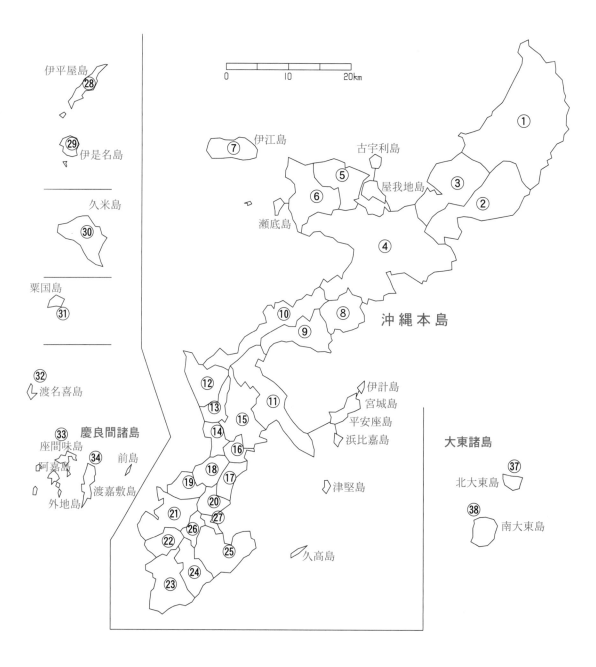

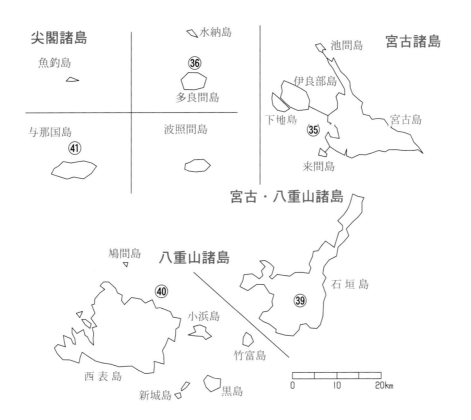

尖閣諸島

魚釣島

水納島

㊱
多良間島

宮古諸島

池間島

伊良部島

下地島

宮古島

㉟

来間島

与那国島

㊶

波照間島

宮古・八重山諸島

八重山諸島

鳩間島

㊵

小浜島

石垣島

㊴

竹富島

西表島

新城島

黒島

0   10   20km

①		⑮		㉙	
②		⑯		㉚	
③		⑰		㉛	
④		⑱		㉜	
⑤		⑲		㉝	
⑥		⑳		㉞	
⑦		㉑		㉟	
⑧		㉒		㊱	
⑨		㉓		㊲	
⑩		㉔		㊳	
⑪		㉕		㊴	
⑫		㉖		㊵	
⑬		㉗		㊶	
⑭		㉘			

2 沖縄県のキャッチコピーは「ハイサイ，沖縄！」です。次のキャッチコピーにあてはまる市町村を，特産品などを参考に語群から選んで書いてください。

19 村

① ［　　　］村　「てるしの」の島　うるおいと活気あふれるたのしい村
特産品：泡盛「照島」（沖縄最北端で生産される泡盛）

伊是名村　健康で明るい住み良い環境，豊かな村づくり　ときわの島　いぜな
特産品：島産米
歴史：第二尚氏王統を開いた金丸の出生地

国 頭 村　森と水とやすらぎの里 "くにがみ"
特産品：お茶・スモモ・マンゴー
観光地：大石林山

② ［　　　］村　健康 長寿のいきいき輝く文化の村
特徴：長寿が多い
特産品：芭蕉布・シークヮーサー

③ ［　　　］村　花と水とパインの村
特産品：パイナップル
人物：元プロゴルファー宮里藍の出身地

今帰仁村　農が織りなすゆがふむら今帰仁
特産品：スイカ
歴史：北山の拠点

④ ［　　　］村　夕日とロマンのフラワーアイランド
特徴：城岳（タッチュー）がシンボル
特産品：ピーナッツ

宜野座村　水と緑と太陽の里・宜野座村
特産品：じゃがいも・キク・ラン

⑤ ［　　　］村　青と緑の躍動する村　住んでよく，働いてよく，訪れてよい村
特産品：琉球ガラス・海ぶどう
施設：沖縄科学技術大学院大学（OIST）

⑥ ［　　　］村　ゆたさある　風水　優る肝心　咲き誇る文化や　健康の村
特産品：紅芋・ヤチムン
観光：残波岬

語群　　読谷　　伊江　　恩納　　大宜味　　東　　伊平屋

⑦　　　　　村	平和で人と緑が輝く健康長寿と文化の村

特徴：女性の長寿が多い
施設：イオンモール沖縄ライカム

中 城 村	豊かな歴史と自然に彩られた田園文化の村，とよむ中城

特産物：キク
歴史人物：護佐丸

渡 嘉 敷 村	鯨 海 峡 とかしき島　生活の安定した住みよい明るい村づくり

特産品：マグロ・なまりぶし
観光：ホエールウォッチング

⑧　　　　　村	碧い海と珊瑚礁の島々　自然にやさしく，自然を活かす島づくり

アクティブ・エコロジー・アイランド
観光：ホエールウォッチング，マリリンの像

粟 国 村	自然・ひと・暮らし ふくらしゃる粟国　てるくふぁ島

特産品：塩・粟・ソテツみそ

渡 名 喜 村	温もりの海郷　渡名喜

特産品：モチキビ・アオサ・島ニンジン

⑨　　　　　村	人と自然が活きるフロンティアアイランド

特産品：黒糖・ラム酒

北 大 東 村	古来の伝説 うふあがり島　あけぼのの昇る北大東

特産品：黒糖・マグロ節・みそ・月桃茶

⑩　　　　　村	〜南洋に浮かぶ癒しの島〜

自らの力を結集し村民参加による
心豊かで活力ある村づくり
特産品：黒糖
伝統芸能：八月踊り

語群　　　南大東　　座間味　　北中城　　多良間

11町

⑪ 　　　　町	太陽と海と緑－観光文化の町 特産品：カツオ 観光：海洋博記念公園

⑫ 　　　　町	海外雄飛（かいがいゆうひ）の里　心豊かな明るい健康文化のまち 特産品：田芋（たいも）。歴史人物：海外移民の父・當山久三（とうやまきゅうぞう）

嘉 手 納 町	ひと，みらい輝く交流のまち　かでな 特徴：町の83％が米軍基地。歴史人物：野國總管（のぐにそうかん）がイモを伝える

北 谷 町	自立，交流，共生　住民と共に創造する「ニライの都市」北谷町 観光：アメリカンビレッジ

西 原 町	文教のまち西原 特産品：シマナー。文化財：内間御殿（うちまウドゥン）（門前の樹齢470年余のさわふじも有名）

与 那 原 町	太陽と緑，伝統とやさしさを　未来へつなぐ海辺のまち 伝統行事：大綱曳（おおづなひき）。展示資料館：軽便与那原駅舎

⑬ 　　　　町	ともにつくる黄金南風（こがねはえ）の平和郷（さと） 特産品：琉球　絣（がすり） 歴史人物：ライト兄弟より先に空を飛んだ飛び安里

久 米 島 町	ラムサール条約登録の地 活力・潤（うるお）い・文化を創造する元気なまち－久米島－ 特産品：久米島紬（つむぎ）・泡盛・クルマエビ。観光：五枝（ごえ）の松（まつ）・畳石（たたみいし）

⑭ 　　　　町	大地の活力とうまんちゅの魂（たましい）が創（つく）り出す 自然共生の清（ちゅ）らまち 遺跡：港川フィッシャー 文化財：富盛（ともり）の石　彫（せきちょう）大獅子（おおじし）

⑮ 　　　　町	海と空の真ん中に，笑顔（えがお）にあふれるふくらしがある。 日本最南端の大自然と文化のまち 特徴：大小16の島々からなる

与 那 国 町	日本最西端の島　与那国町　健（すこ）やかな自然・人・生活を育む島　ドゥナン 特産物：泡盛（花酒）

語群	八重瀬　竹富　本部　金武　南風原

12

11市

那 覇 市	夢をかたちに，笑顔をくらしに，元気をまちに。なはが好き！ みんなで創ろう 子どもの笑顔が輝くまち 三大祭り：ハーリー・大綱挽・琉球王朝祭り

宜 野 湾 市	市民が主役の「ねたて」の都市・ぎのわん 基地：世界一危険な普天間飛行場がある

石 垣 市	おーりとーり 石垣市 日本最南端の自然文化都市 人物：具志堅用高の出身地

⑯　　　　市	太陽とみどりにあふれた国際性 ゆたかな文化都市 歴史人物：太陽の子といわれた英祖王の生誕地

名 護 市	あけみおのまち名護市 特産品：オリオンビール 観光：さくら祭り

⑰　　　　市	ひかりとみどりといのりのまち 伝統行事：ハーレー 観光：「平和の礎」などの戦跡

⑱　　　　市	国際文化観光都市 特徴：戦後，基地の街として発展 「エイサーのまち」宣言

豊 見 城 市	ひと・そら・みどりがつなぐ 響むまち とみぐすく 特産品：ウージ染め 施設：沖縄空手会館

⑲　　　　市	人と歴史が奏でる自然豊かなやすらぎと健康のまち 芸能：現代版組踊「肝高の阿麻和利」

南 城 市	海と緑と光あふれる南城市 観光：ニライカナイ橋・玉泉洞 歴史人物：三山を統一した尚巴志

宮 古 島 市	こころつなぐ 結いの島 宮古 特産品：上布・サンゴ加工 スポーツ：全日本トライアスロン大会

語群 ┃ うるま 糸満 浦添 沖縄

3 > 次の沖縄島の地図は，六つの市町村がぬけています。①〜⑥のぬけている
市町村にあてはまる地図を，下のa〜fから選んで記号を書いてください。

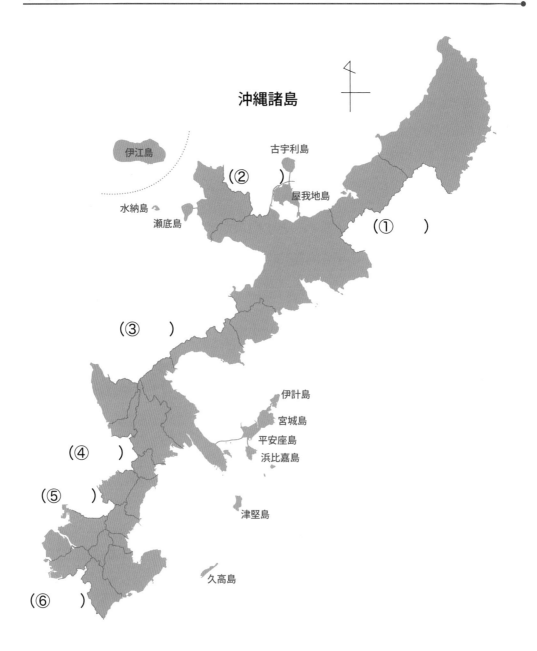

沖縄諸島

伊江島

古宇利島

屋我地島

（②　）

水納島

瀬底島

（①　）

（③　）

伊計島

宮城島

平安座島

浜比嘉島

（④　）

（⑤　）

津堅島

久高島

（⑥　）

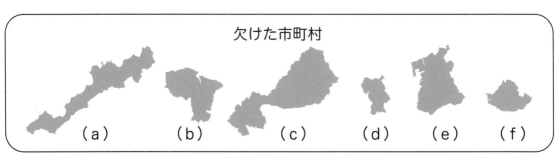

欠けた市町村

（a）　（b）　（c）　（d）　（e）　（f）

4 次の形の島名を書いてください。　（注）実際の島の大きさと比率はことなります。

（1）

（　　　　　　　）

（2）

（　　　　　　　　）

（3）

（　　　　　　　　　）

5 次の問いに答えてください。

（1）沖縄の市町村は，全部でいくつあるでしょうか。（　　）
　　　a．３１　　　　　b．４１　　　　　c．５１

（2）沖縄の市町村で，面積が一番大きいのはどこでしょうか。（　　）
　　　a．竹富町　　　b．宮古島市　　　c．国頭村

（3）沖縄の市町村で，最も面積が小さく人口も少ない村はどこでしょうか。（　　）
　　　a．渡名喜村　　　b．粟国村　　　c．多良間村

（4）2014 年，沖縄のある村が「国内でもっとも人口の多い村」となりました。
　　　その村はどこでしょうか。（　　）
　　　a．恩納村　　　b．中城村　　　c．読谷村

（5）沖縄の市町村で，海に面していないのはどこでしょうか。（　　）
　　　a．北中城村　　　b．南風原町　　　c．沖縄市

（6）戦後，那覇の復興を象徴する道路として，奇跡の１マイルとよばれた国際
　　　通りの名称は何に由来しているでしょうか。（　　）
　　　a．劇場の名前　　　b．百貨店の名前　　　c．外国人レストランの名前

（7）県民の一人当たりの所得で，常に上位にランクされている市町村の組み合
　　　わせとして正しいのはどれでしょうか。（　　）
　　　a．伊江村―久米島町　　b．竹富町―石垣市　　c．北大東村―南大東村

6 次のゆるキャラは，どこの市町村のものでしょうか。語群から選んで書いてください。

a．なんじぃ
（　　　　　　　　）

b．ピカリャ〜
（　　　　　　　　）

c．さわりん
（　　　　　　　　）

d．ぶトモー
（　　　　　　　　）

e．護佐丸（ごさまる）
（　　　　　　　　）

f．く〜みん
（　　　　　　　　）

語群　竹富町　久米島町　西原町　南城市　中城村　本部町

※ほかにもたくさんのゆるキャラがいます。気に入った
　ゆるキャラを探（さが）してみよう
　沖縄観光をＰＲするマスコットキャラクター，
　「マハ朗（ろう）くん」と「花笠（はながさ）マハエちゃん」。

©OCVB

1▶ 次の月日は，沖縄にとって重要なできごとがあった日です。関係のあるできごとと，線でむすんでください。

〔出来事があった日〕　　　　　　　〔 出 来 事 の 内 容 〕

3月26日　　a・　　　　　・ア　琉球王国が滅んだ日：1879年，明治政府が武力を背景に，琉球王国を滅ぼした日。

3月27日　　b・　　　　　・イ　沖縄県設置：1879年，日本による琉球併合を国内外に知らせた，沖縄県誕生の日。

4月4日　　c・　　　　　・ウ　十・十空襲：1944年，那覇を中心に南西諸島全域が米軍の大空襲をうけた日。

4月28日　　d・　　　　　・エ　地上戦のはじまり：1945年，米軍が慶良間諸島に上陸し，激しい地上戦がはじまった日。

5月15日　　e・　　　　　・オ　沖縄戦終結：1945年，沖縄の日本軍が降伏文書に調印した日。

6月23日　　f・　　　　　・カ　慰霊の日：1945年，第32軍（南西諸島守備軍）の牛島司令官が自決した日。

7月30日　　g・　　　　　・キ　日本の終戦記念日：1945年，天皇のラジオ放送で国民に日本の敗戦が伝えられた日。

8月15日　　h・　　　　　・ク　屈辱の日：1952年，サンフランシスコ平和条約で，沖縄が日本から切りはなされた日。

9月7日　　i・　　　　　・ケ　日本復帰：1972年，沖縄の施政権が日本に返還された日。

10月10日　j・　　　　　・コ　交通方法変更：1978年，沖縄の交通方法が米国式から日本式に変更された日。

2 次の月日は，沖縄ならではの記念日です。何の記念日か語群から選んで書いてください。

3月4日　（　　　　　　）の日　　　3月5日（　　　　　　）の日

4月3日　（　　　　　　）の日　　　5月8日（　　　　　　）の日

5月10日　（　黒糖こくとう　）の日　　8月1日（　　観光　）の日
　　　　　　　　　　　　　　　　　　　　　　（　　　　　　）の日

8月2日　（　ハブ供養くよう　）の日　8月8日（　パパイヤ　）の日

9月4日　（　古酒こしゅ　）の日　　　9月18日（　　　　　　）の日

10月2日　（　豆腐とうふ　）の日　　10月9日（　　　　　　）の日

10月17日（　　　　　　）の日　　10月25日（　　　　　）の日

10月30日（　　　　　　　　　　　）の日

11月1日　（　泡盛あわもり　）の日，（　　　　　　　　）の日
　　　　　　（　琉球歴史文化　）の日（予定）

11月16日（　　　　　　）の日

語群　┌─────────────────────────────────┐
　　　│ いも　　三線　　シーサー　　ゴーヤー　　沖縄そば　　空手 │
　　　│ サンゴ　　パイン　　闘牛とうぎゅう　　しまくとぅば　　エイサー │
　　　│ 世界のウチナーンチュ　　美ら島ちゅらおきなわ教育 │
　　　└─────────────────────────────────┘

3 沖縄では毎月，様々なイベントがおこなわれます。次の空欄にはいるイベントを語群から選んで書いてください。

1月　本部八重岳桜まつり　　　海洋博公園全国トリムマラソン

2月　おきなわマラソン　　　辻じゅり馬まつり(旧暦1月20日)

3月　ダイキンオーキッドレディスゴルフトーナメント　（①　　　　　　　　）

4月　沖縄国際映画祭　　琉球海炎祭　　伊江島ゆり祭り
（②　　　　　　　　　　　　　　　　　　　　　　　　）

5月　那覇ハーリー　奥ヤンバル鯉のぼり祭り　　鳩間島音楽祭

6月　（③　　　　　　　　　　　　)(旧暦5月4日)　うたの日コンサート

7月　ピースフルラブ・ロックフェスティバル　　海洋博公園花火大会

8月　与那原大綱曳まつり　塩屋湾のウンガミ(旧盆明けの初亥の日)

9月　久米島マラソン　　多良間島の八月踊り

10月　那覇大綱挽　沖縄の産業まつり　　伊平屋ムーンライトマラソン

11月　琉球王朝祭り首里　尚巴志ハーフマラソン　　離島フェア
ツールド・おきなわ国際ロードレース大会

12月　（④　　　　　　　　　　　）

語群　ＮＡＨＡマラソン　　全日本トライアスロン宮古島大会
東村つつじ祭り　　糸満ハーレー

19

ナカユクイ　沖縄を舞台にした映画を鑑賞しよう。

〔作品名〕

①沖縄を変えた男：沖縄の高校野球の歴史を変えた，栽弘義監督をモデルにした
　　映画。主演はガレッジセールのゴリ（照屋年之）。

②旅立ちの島唄：南大東島に住む15歳の少女が主人公。高校進学のために島をは
　　なれるまでの1年間を描いた作品。

③チェケラッチョ：高校生3人がヒップホップのバンドを結成。市原隼人，井上真
　　央が出演。

④てぃだかんかん：サンゴの海を復活させるため，人工のサンゴ養殖に挑む。岡村
　　隆史が主演。

⑤天国からのエール：本部町にある無料音楽スタジオの設立を基にした作品。阿部
　　寛が主演。

⑥ドルフィンブルー：人工尾びれをつけて泳ぐイルカの物語。松山ケンイチ，高畑充
　　希が出演。

⑦涙そうそう：BEGIN の同名のヒット曲をモチーフにした作品。妻夫木聡と長澤ま
　　さみが主演。

⑧ニライカナイからの手紙：竹富島を舞台に，少女の成長を描いた物語。蒼井優
　　が主演。

⑨人魚に会える日：基地問題に揺れ動く若者の葛藤を描いた作品。監督は当時，
　　高校生の仲村 颯悟。

⑩小さな恋の歌：MONGOL800 の同名のヒット曲をモチーフに描いた青春映画。

⑪ひまわり：1959年におきた，宮森小学校への米軍ジェット墜落事故を題材にし
　　た作品。

⑫ひめゆりの塔：沖縄戦における女子学徒の悲劇を描いた作品。

⑬マリリンに逢いたい：阿嘉島のオス犬シロが，座間味島にいるメス犬マリリンに
　　泳いで会いに行くという，実話にもとづいた作品。

⑭洗骨：粟国島を舞台に，風葬後の死者の弔いを通して家族の絆を描いた作品。
　　監督はゴリこと照屋年之。

⑮ハクソー・リッジ：前田高地の戦いで「良心的兵役拒否者」を描いた作品。監
　　督はメル・ギブソン。住民被害を描いていないことへの批判もある。

※ ほかにもたくさんあるので，興味ある作品をさがして鑑賞しよう。

4 沖縄の観光について，知っておきたいこと

1 次の沖縄観光に関する問いに答えてください。

（1）沖縄観光は，美しい海を主な観光資源として大きく発展しています。2018
　　年度の観光客数は，どれくらいだったでしょうか。（　　）
　　ａ．約８００万人　　ｂ．約９００万人　　ｃ．約１０００万人

（2）観光客に対する，おもてなしの精神のことをホスピタリティーといいます
　　が，ウチナーグチでは何というでしょうか。（　　）
　　ａ．ウトゥイムチ　　　ｂ．メンソーレ　　　ｃ．チムグクル

（3）観光地の自然を壊すことなく，自然や歴史・文化などを学ぶ旅行方法を何
　　というでしょうか。（　　）
　　ａ．エコツーリズム　ｂ．フィルムツーリズム　ｃ．ネオツーリズム

（4）冬でも水温の高い沖縄海域には，ザ
　　トウクジラが回遊してきます。その
　　光景を船上からながめる観光を何と
　　いうでしょうか。

　　　　　　（　　　　　　　　　　　）

（5）世界最大級の水槽のある水族館が，
　　2002 年沖縄県本部町に誕生しまし
　　た。その名称は何でしょうか。（　　）

　　ａ．美らさん水族館
　　ｂ．美ら海水族館
　　ｃ．美ら島水族館

2 次の観光客に人気のあるビーチ名を，語群から選んで書いてください。

(① 　　　　　　　　)(うるま市)

(② 　　　　　　　　)(宮古島市)

(③ 　　　　　　　　)(竹富町)

(④ 　　　　　　　　)(本部町)

(⑤ 　　　　　　　　)(本部町)

(⑥ 　　　　　　　　)(豊見城市)

語群　コンドイビーチ　　伊計ビーチ（いけい）　　与那覇前浜（よなはまえはま）　　水納島ビーチ（みんなじま）
　　　瀬底ビーチ（せそこ）　　豊崎美ら SUN ビーチ（とよさきちゅ）　　古宇利ビーチ（こうり）

22

3 次の観光スポットの名称を，語群から選んで記号を書いてください。

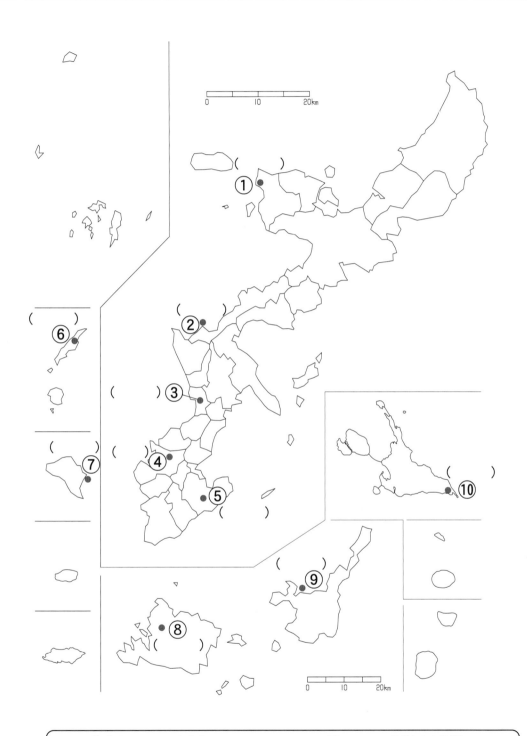

23

語群
a．備瀬のフクギ並木　b．マリウドの滝　c．東平安名崎
d．畳石　e．青の洞窟　f．川平湾　g．アメリカンビレッジ
h．玉泉洞　i．万座毛　j．念頭平松　k．首里金城町石畳道

4 ▷ 2019年度，沖縄県内で春季キャンプを張った国内のプロ野球チームは9
球団におよびました。地図①〜③のチーム名を語群から選んでください。

日本ハムー名護市　　①（　　）ー宜野座村　　広　島ー沖縄市

中　日ー北谷町　　　②（　　）ー宜野湾市　　ヤクルトー浦添市

巨　人ー那覇市　　　③（　　）ー久米島　　　ロッテー石垣市

語群　｜ a．福岡ソフトバンクホークス　b．阪神タイガース
　　　　｜ c．東北楽天ゴールデンキングス　d．横浜ＤｅＮＡベイスターズ

※他にもＪリーグや韓国，中国など海外のスポーツチームが沖縄でキャンプを張っています。

次の沖縄を拠点とするスポーツリーグのチーム名を，語群から選んで書いてください。

（1）Bリーグ
　　　琉球ゴールデン（　　　　　　　　）

（2）Jリーグ
　　　（　　　　　　　　　　　）琉球

（3）Tリーグ
　　　琉球（　　　　　　　　　　）

（4）日本ハンドボールリーグ
　　　琉球（　　　　　　　　　　）

（5）プロ野球チーム（リーグ加盟なし）
　　　琉球（　　　　　　　　　　）

語群	コラソン　　FC　　ブルーオーシャンズ　　キングス アスティーダ

1 沖縄料理について，それぞれの問いに答えてください。

（1）沖縄料理の特徴(とくちょう)は，中国から伝わったとされる医も食も源(みなもと)は同じであるという「医食同源(いしょくどうげん)」の考えにもとづいていることです。その代表的な料理がウミヘビを使った料理です。何というでしょうか。（　　）

©OCVB

  a．イラブー料理
  b．ウミハブ料理
  c．琉球ウナギ料理

（2）沖縄では炒め煮(いたに)のことをイリチーといいますが，ニンジンを細(ほそ)くおろして油で炒(いた)めた料理のことを，何というでしょうか。（　　）

  a．ニンジンンンブシー
  b．ニンジンジューシー
  c．ニンジンシリシリー

（3）沖縄では煮込(にこ)み料理のことをンブシーといいますが，へちまの味噌煮(みそに)を何というでしょうか。（　　）

©OCVB

  a．ナーベーラーンブシー
  b．シブインブシー
  c．カンダバーンブシー

（4）沖縄の夏野菜(なつやさい)の王様とよばれる，ビタミンCが豊富で夏バテ防止(ぼうし)にぴったりな健康食材です。家庭料理のチャンプルーの食材としてよく使われる，この野菜は何でしょうか。（　　）

 a．モーウイ   b．ゴーヤー   c．ハンダマ

（5）沖縄でスヌイと呼ばれる海藻で，抗酸化力の強いフコイダンと豊富なミネラルをふくんだ食べ物は，何でしょうか。（　　）

　　a．てんぐさ　　　　　　b．もずく　　　　　　c．海ぶどう

2 手間をかけた愛情たっぷりの手料理のことを，何というでしょうか。（　　）

　　a．マーサマカネー　　　b．ティーアンダ　　　c．アジクーター

3 ウチナーグチで，栄養のある食べ物を食べたあとに，ごちそうさまの意味で○○ナイビタンといいます。○○とは何でしょうか。（　　）

　　a．ヌチグスイ　　　b．ヌチドゥタカラ　　　c．ヌチヌソウグッチ

4 沖縄料理の食材としてよく利用されるのが豚肉です。沖縄では，ブタにはすてる部位がなく，あるもの以外はすべて食べるといいます。あるものとは何でしょうか。考えて書いてください。（　　　　　　　　　　　）

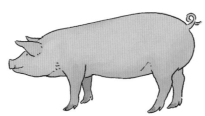

5 米を煎って煮だし，さんぴん茶と番茶を混ぜた茶湯を入れて茶せんで泡立てた沖縄独特のお茶を，何というでしょうか。（　　）

　　a．アワブク茶

　　b．ブクアワ茶

　　c．ブクブク茶

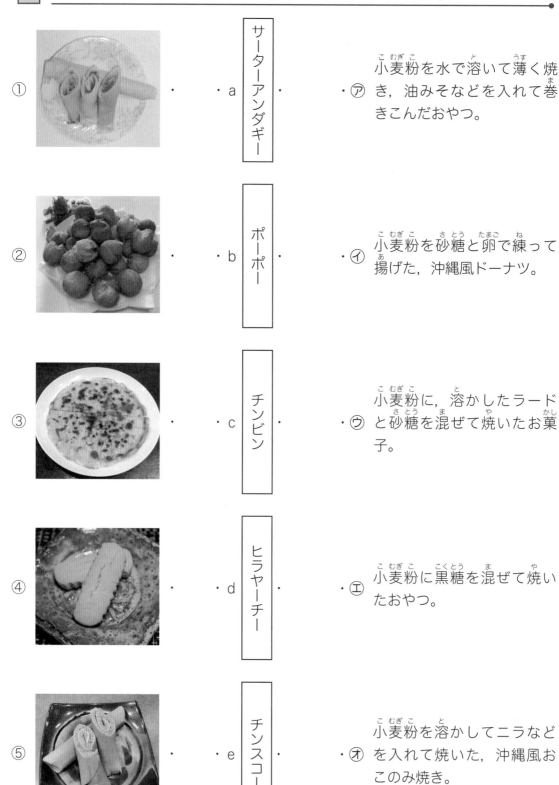

6 次の写真のおやつの名前と特徴を，線でむすんでください。

① ・ ・a・ サーターアンダギー ・ ・㋐ 小麦粉（こむぎこ）を水で溶（と）いて薄（うす）く焼（や）き，油みそなどを入れて巻（ま）きこんだおやつ。

② ・ ・b・ ポーポー ・ ・㋑ 小麦粉（こむぎこ）を砂糖（さとう）と卵（たまご）で練（ね）って揚（あ）げた，沖縄風ドーナツ。

③ ・ ・c・ チンビン ・ ・㋒ 小麦粉（こむぎこ）に，溶（と）かしたラードと砂糖（さとう）を混（ま）ぜて焼（や）いたお菓子（かし）。

④ ・ ・d・ ヒラヤーチー ・ ・㋓ 小麦粉（こむぎこ）に黒糖（こくとう）を混（ま）ぜて焼（や）いたおやつ。

⑤ ・ ・e・ チンスコー ・ ・㋔ 小麦粉（こむぎこ）を溶（と）かしてニラなどを入れて焼（や）いた，沖縄風おこのみ焼き。

※ポーポーとチンビンは，地域によってよびかたや作り方がちがう場合があります。

代表的な家庭料理・チャンプルーの語源

　沖縄の代表的な家庭料理といえば，チャンプルーでしょう。チャンプルーとは，いっぱんに島豆腐を主に野菜や豚肉など，複数の具を炒めた料理のことをいいます。

　その語源にはさまざまな説があり，中国・福建省のかんたんな食事を意味する「シャンポン」や，インドネシアで混ぜるという意味で使われる「チャンプルー」からきているといわれています。また，炒め物の食材として豆腐を使うことが原則だとする意見もあります。

中身汁にみる沖縄料理の真骨頂

©OCVB

　沖縄のお祝い料理として欠かせないものに中身汁があります。王朝時代には，宮廷料理として華やかな宴の席にも出されたといいます。

　中身とは豚の胃腸のことで，高級料理としてはさけられそうな食材です。それを琉球の料理人たちは腕によりをかけ，風味のある最高の料理にしたてあげたのです。

　材料が豚の内臓だけに，食卓にのせるまでにはたいへんな根気と労力を要します。まず胃と腸の薄皮をはぎ，内容物をきれいにとりさる。そのあと塩でもみ洗いをしてぬめりをとる。小麦粉をまぶして数回もみ洗いをくりかえして油で炒める。炒めた中身をシークヮーサーの皮を入れた水で煮詰めて臭みをとり，湯洗いをする。そして，さらにおからで数回もみ洗いをする。というように，腕がしびれるくらいたんねんにもみ洗いをくりかえしながら臭みをとり，淡白な中身のうまみをひきだす。

　こうしてきれいに調理された中身をたっぷり時間をかけて煮込み，豚肉やシイタケなどとともに吸い物として料理するのです。最後におろし生姜をそえればできあがり。お祝いの席にふさわしい高貴な味とかおりが，食べるものの胃腸をやさしくあたため，幸せな気分にしてくれます。

　臭気ただよう豚の内臓を，気品あふれる高級料理にしたてる。これが沖縄料理の真骨頂なのです。

6 沖縄の自然について，知っておきたいこと

1▷ 次の問いの答えを，それぞれの語群から選んでください。

（1）次の中で，ラムサール条約（水鳥の生息地として国際的に重要な湿地）に
登録されていないのは，どこでしょうか。（　　）
　　a．泡瀬干潟　　　　　b．慶良間諸島海域　　　c．名蔵アンパル
　　d．漫湖　　　　　　　e．久米島の渓流・湿地　　f．与那覇湾

（2）宮古諸島・池間島の北に位置する，大小100以上の干礁からなる日本最大
級のサンゴ礁群で，年に数回，大潮のときだけ海面に姿を現す「幻の大陸」
のことを何というでしょうか。（　　）
　　a．海底遺跡　　　　b．造礁大陸　　　　c．八重干瀬

（3）石垣島の南西部から西表島東南部の間に広がる，広大なサンゴ礁海域のこ
とを，何というでしょうか。（　　）
　　a．八重山礁湖　　　b．石西礁湖　　　　c．石表礁湖

（4）2016年9月，国内33か所目の国立公園が沖縄島北部に誕生しました。
何という名称でしょうか。（　　）
　　a．国頭国立公園　　　b．北部国立公園　　　c．やんばる国立公園

（5）「美ら海水族館」の一番人気で，熱帯や亜熱帯の温暖な海域を回遊する世界
一大きな魚は何でしょうか。（　　）

　　a．クロマグロ　　　　b．ナンヨウマンタ　　　c．ジンベエザメ

（6）沖縄に生息する蛾で，翅の面積が世界最大といわれているのは，どれでしょ
うか。（　　）
　　a．ヨナグニサン
　　b．ハテルマサン
　　c．イリオモテサン

（7）識名園の育徳泉は，モズクに似た淡水産紅藻の発生地として国の天然記念物に指定されています。その淡水産紅藻は，どれでしょうか。（　　）

a．ムラサキノリ　　　b．シマチスジノリ　　　c．アオスジノリ

（8）沖縄の土壌は，おおまかに次の三種にわけられます。そのなかで，沖縄島中南部に分布する粘土質で灰色の土はどれでしょうか。（　　）

a．国頭マージ　　　　b．島尻マージ　　　　c．ジャーガル

2▷ 次の問いに答えてください。

（1）右の写真のように，石灰岩の海岸に見られるくびれた地形は，海水の浸食作用によるものです。この地形を何というでしょうか。（　　）

a．ナッチ
b．ハッチ
c．ノッチ

（2）海岸にある砂や小石が海水中の石灰分で固まってできた板状の岩石のことを，何というでしょうか。（　　）

a．ビーチロック
b．サザンクロス
c．ポットホール

（3）石灰岩が溶食をうけてできた地形を何というでしょうか。本部半島には円錐状の美しい地形があります。（　　）

a．フィッシャー
b．カルスト
c．カレン

3 次の国指定の天然記念物の名称<ruby>名称<rt>めいしょう</rt></ruby>を書いてください。

(① 　　　　　　　　　) （名護市）　　(② 　　　　　　　　　) （久米島町）

4 次の国指定の特別天然記念物の名称<ruby>名称<rt>めいしょう</rt></ruby>を書いてください。

(① 　　　　　　　)　　(② 　　　　　　　)　　(③ 　　　　　　　)

5 次の国指定の天然記念物の名称<ruby>名称<rt>めいしょう</rt></ruby>を書いてください。

(① 　　　　　　　)　　(② 　　　　　　　)　　(③ 　　　　　　　)

6 次の海の生物の名称<ruby>名称<rt>めいしょう</rt></ruby>を書いてください。

(① 　　　　　　　)　　(② 　　　　　　　)　　(③ 　　　　　　　)

7 次の花の名称書いてください。

(① 　　　　　　　)　　(② 　　　　　　　　)　　(③ 　　　　　　　　)

8 次の木の名称を語群から選んで書いてください。

(① 　　　　　　　)　　(② 　　　　　　　　)　　(③ 　　　　　　　　)

(④ 　　　　　　　)　　(⑤ 　　　　　　　　)　　(⑥ 　　　　　　　　)

(⑦ 　　　　　　　)　　(⑧ 　　　　　　　　)　　(⑨ 　　　　　　　　)

語群　モモタマナ　ユーナ　デイゴ　イジュ　キョウチクトウ　プルメリア
　　　サガリバナ（サワフジ）　ヒカンザクラ　　ブーゲンビレア

9 次の問いに〇×で答えてください。

（1）過去に広い地域に分布していたり個数の多かった生物が，現在では特定の地域にのみ生存している種を希少種という。（　　）

（2）絶滅するおそれのある野生生物の種の一覧をレッドリストという。（　　）

（3）ヤンバルテナガコガネは日本最大の甲虫で，イワサキクサゼミは日本最小のセミである。（　　）

（4）ケラマジカは，太古の昔から琉球列島に生息していたシカの子孫である。（　　）

（5）熱帯や亜熱帯の河口などに生育する植物の群落をマングローブという。（　　）

（6）サンゴは植物のように見えるが，クラゲと同じ動物の仲間である。（　　）

（7）沖縄の海は海中に浮遊するプランクトンが多いため，意外に透明度が低い。（　　）

（8）星砂は，サンゴを食べたイラブチャー（フエフキダイ）の糞である。（　　）

（9）ジュゴンは絶滅危惧種のため，国の特別天然記念物に指定されている。（　　）

（10）シオマネキは，オスの大きなハサミで求愛する行動が，「潮が早く満ちるよう招いている」ように見えるため，その名がついている。（　　）

（11）ミナミコメツキガニは，横歩きではなく前にゾロゾロと歩き回るのが特徴。集団で歩く姿が兵隊に似ていることから，ヘイタイガニのよび名がある。（　　）

（12）沖縄の海岸でよくみかけるパイナップルの木。近年は商業用にその実を畑で栽培するのが一般的になっている。（　　）

10 沖縄の気象について，それぞれの問いに答えてください。

（1）次の気象に関する言葉をウチナーグチで何というでしょうか，語群から選んで記号を書いてください。

① 旧暦2月ごろの大しけのことを，何というでしょうか。（　　）

② 旧暦3月ごろに降る雨のことを，何というでしょうか。（　　）

③ 5月ごろの初夏の季節を，何というでしょうか。

（　　）

④ 6月末の梅雨明けに吹く南風のことを，何というでしょうか。（　　）

⑤ 9月終わりごろから吹きはじめる北風のことを，何というでしょうか。

（　　）

⑥ 冬至のころの寒さを，何というでしょうか。

（　　）

⑦ ある地域だけに降る雨のことを，何というでしょうか。（　　）

⑧ 冬がおわり，春がやってきたと思ったころにぶり返す寒さのことを，何というでしょうか。（　　）

語群

> a．ワカナチ　b．ミーニシ　c．ウリズン　d．カーチーベー
> e．カタブイ　f．ワカリビーサ　g．ニングヮチカジマーイ
> h．トゥンジービーサ

（2）2018 年，国際ダークスカイ協会は西表石垣国立公園をある保護区に認定しました。何という保護区でしょうか。（　　）

　　a．夜空保護区　　　　b．青空保護区　　　c．星空保護区

（3）海に面した沖縄県には，たくさんの灯台があります。そのなかで，石垣島の平久保崎灯台と読谷村の残波岬灯台が，日本ロマンチスト協会からある認定を受けました。何と認定されたのでしょうか。（　　）

　　a．女神の灯台

　　b．夕陽の灯台

　　c．恋する灯台

（4）熱帯低気圧が発達して，最大風速が何 m/s（メートル毎秒）以上になったら台風とよぶでしょうか。　（　　）

　　a．17.2m/s　　　b．18.2m/s　　　c．19.2m/s

（5）台風は年間に平均 27 個発生しています。そのうち沖縄県に接近してくるのは何個でしょうか。（　　）

　　a．5〜6個　　　b．7〜8個　　　c．9〜10個

（6）沖縄地方にやってきた最大の台風は，1966 年 9 月に宮古島をおそった第 2 宮古島台風です。最大瞬間風速は何 m/s（メートル毎秒）だったでしょうか。（　　）

　　a．80.3m/s

　　b．85.3m/s

　　c．90.3m/s

7 沖縄戦について，知っておきたいこと

1 ▷ 沖縄戦について，それぞれの文を読み各設問<small>（かくせつもん）</small>に答えてください。

1941年12月8日，日本はハワイの真珠湾<small>（しんじゅわん）</small>などを奇襲攻撃<small>（きしゅうこうげき）</small>して，アメリカ・イギリスと戦争をはじめました。これを，アジア太平洋戦争といいます。

1944年には，沖縄にも日本軍（第32軍）が配備され，たくさんの基地が作られました。

（1）沖縄につくられた軍事基地は，どのようなものでしょうか。（　　　）
　　　 a．航空基地<small>（こうくうきち）</small>　　　　b．海軍基地<small>（かいぐんきち）</small>　　　　c．秘密基地<small>（ひみつきち）</small>

（2）日本軍（第32軍）の司令部<small>（しれいぶ）</small>は，どこに置かれたでしょうか。（　　　）
　　　 a．首里<small>（しゅり）</small>　　　　b．嘉数<small>（かかず）</small>　　　　c．伊祖<small>（いそ）</small>

（3）日本軍（第32軍）の司令官は，だれでしょうか。（　　　）
　　　 a．長勇<small>（ちょういさむ）</small>　　　　b．牛島満<small>（うしじままみつる）</small>　　　　c．八原博通<small>（やはらひろみち）</small>

1944年7月，日本がおさめていたサイパン島が攻め落とされると，沖縄県から本土へ8万人，台湾へ2万人，計10万人のお年寄りや女性・子どもなどを疎開<small>（そかい）</small>（移動）させる計画を決めました。戦いの足手まといになるだけでなく，軍の食料が確保<small>（かくほ）</small>できなくなるからでした。

（4）1944年8月22日，米潜水艦<small>（べいせんすいかん）</small>に攻撃<small>（こうげき）</small>されて沈没<small>（ちんぼつ）</small>した疎開船<small>（そかいせん）</small>はどれでしょうか。
　　　 a．波上丸<small>（なみのうえまる）</small>　　　　b．嘉義丸<small>（かぎまる）</small>　　　　c．対馬丸<small>（つしままる）</small>

（5）上記の船には，約800人の学童<small>（がくどう）</small>が乗っていました。そのうち助かった学童<small>（がくどう）</small>は何名でしょうか。（　　　）
　　　 a．20人余　　　　b．50人余　　　　c．80人余

1944年10月10日，南西諸島は沖縄の那覇市を中心に，早朝から午後4時過ぎまで，5波にわたって述べ1400機にも及ぶ米艦載機<small>（くうしゅうし）</small>の空襲をうけました。那覇市はこの空襲で市街地<small>（がいち）</small>の90%を焼失<small>（しょうしつ）</small>しました。

（6）米軍機によるこの空襲<small>（くうしゅう）</small>のことを，何というでしょうか。（　　　）
　　　 a．10・10空襲<small>（くうしゅう）</small>
　　　 b．琉球大空襲<small>（くうしゅう）</small>
　　　 c．沖縄大空襲<small>（くうしゅう）</small>

1945年にはいると，米軍機の空襲が激しくなり，米軍の沖縄進攻は時間の問題となりました。3月26日の早朝には，ついに米軍が慶良間諸島へ上陸しました。沖縄島上陸にそなえるためでした。ここに沖縄における地上戦の幕が切って落とされたのです。

（7）米軍は沖縄攻略作戦のことを，何とよんでいたでしょうか。（　　）

　　　　a．アイスバーグ作戦　　　b．コロネット作戦　　　c．オリンピック作戦

（8）米軍が慶良間諸島に上陸してくると，多くの住民が集団で自決（強制集団死）しました。日本軍から，自決せよとの命令が直接・間接に伝えられていたからです。慶良間諸島全体で，どれだけの住民が「強制集団死」でなくなったでしょうか。（　　）

　　　　a．１７０人　　　　b．３７０人　　　c．５７０人

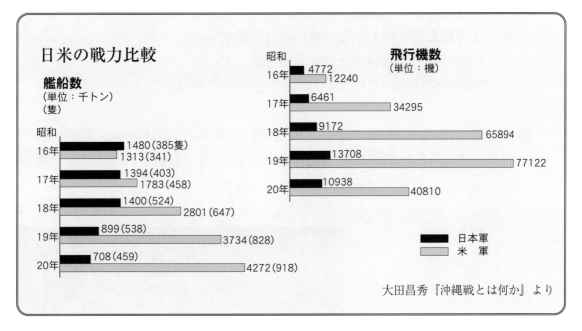

大田昌秀『沖縄戦とは何か』より

（9）沖縄戦がはじまった当時，日本軍の艦船（トン数）は米軍のおよそ何分の一だったでしょうか。（　　）

　　　　a．四分の一　　　b．五分の一　　　c．六分の一

（10）沖縄戦がはじまった当時，日本軍の航空機は米軍のおよそ何分の一だったでしょうか。（　　）

　　　　a．四分の一　　　b．五分の一　　　c．六分の一

　沖縄戦で戦闘に参加したのは，兵役法にもとづいて召集された正規の軍人だけではありませんでした。兵役からもれた満 17 歳から満 45 歳までの男子は，防衛隊に，中学校・実業学校以上の男女生徒は学徒隊に編成されて戦場にかりだされました。

75 歳の防衛隊員と 16 歳，15 歳の学徒隊員
（沖縄県平和祈念資料館提供）

(11) なぜ 15 歳の少年が兵士として戦場に動員されたのでしょうか。（　　　）
　　a．幼く見えるだけで，じっさいは 17 歳だった。
　　b．米兵が兵士の格好をさせて写真を撮った。
　　c．保護者の承諾があれば，14 歳でも防衛召集の対象となった。

(12) 2017 年 3 月，沖縄戦に動員された 21 校の「全学徒隊の碑」が建立され，2019 年 3 月には犠牲になった学徒数の説明板が設置されました。沖縄戦で，どれだけの学生が犠牲になったでしょうか。（　　　）

　　a．９８４人

　　b．１９８４人

　　c．２９８４人

(13) 次の文のなかで，正しいものを選んでください。（　　　）
　　a．日本軍の将兵にも，住民を救うために投降をすすめる者がいた。
　　b．日本軍の将兵は残虐で，住民に投降をすすめる者はいなかった。
　　c．米軍の将兵には，非戦闘員の住民を殺傷する者はいなかった。

慶良間諸島を占領した米軍は，4月1日，いよいよ沖縄島への上陸をはじめました。日本軍が水際作戦を放棄したため，米軍はピクニック気分で上陸し「日本軍はエイプリルフールでわれわれをからかっているに違いない」と，冗談まじりに進軍したと言います。

(14) この時，米軍が最初に上陸した地域はどこでしょうか。次の図を参考に答えてください。（　　　）

　　a．沖縄島北部の西海岸

　　b．沖縄島中部の西海岸

　　c．沖縄島中部の東海岸

　　d．沖縄島南部の東海岸

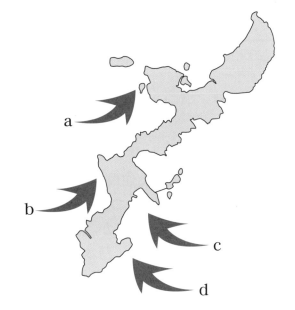

(15) 米軍が沖縄島に上陸すると，住民はガマ（自然壕）や亀甲墓などに身を隠しました。読谷村波平区の住民の多くは，村内のチビチリガマとシムクガマなどへ避難しました。米兵に居場所を知られると，チビチリガマでは「強制集団死」がおこりました。しかし，もう一方のシムクガマではこのような惨事はおこりませんでした。どうしてでしょうか。（　　　）

チビチリガマ
（仲村顕氏提供）

　　a．大人数をまかなえる十分な食糧があった。
　　b．米軍に投降をすすめる日本兵がいた。
　　c．米兵と対応できるハワイ移民帰りの住民がいた。

米軍の無血上陸をゆるした日本軍（第32軍）でしたが，その一週間後には反撃にでました。上層部からの圧力で，九州・台湾の陸海軍による神風特攻隊をふくむ航空作戦を円滑に進めるためでした。

(16) 特攻機の米艦船への命中率は，どれくらいだったでしょうか。（　　　）

　　a．約10%　　　　　b．約20%　　　　　c．約30%

　　沖縄島西海岸に上陸した米軍は，沖縄島を南北に分断して進撃を続けました。北部に攻勢をかけた米軍は，4月17日には国頭支隊の本拠地・八重岳を制圧して，20日ごろには北部全域を占領しました。北部の山岳地帯には，米軍の上陸にそなえて数万の住民が避難していました。

(17) 北部に避難していた住民は，米軍の攻撃以外に飢餓やマラリアにも苦しめられましたが，もう一つ，あるものからも身を守らなければなりませんでした。それは何でしょうか。（　　　）

　　a．ハブ　　　　　b．日本兵　　　　b．天然痘

(18) 北部で最も戦闘の激しかったのは，巨大な飛行場をようする伊江島でした。そこで有名なアメリカの従軍記者も戦死しています。その人はだれでしょうか。（　　　）

　　a．バックナー　　　b．キャパ　　　c．アーニー・パイル

(19) 米軍は伊江島を占領すると，全住民を慶良間諸島へ移しました。しかし，それでも二組四人の兵士が米軍の捜索からのがれ，島内に身を隠していました。一組は海岸近くの洞窟に，そしてもう一組はどこに隠れていたでしょうか。（　　　）

　　a．集落にある民家の床下

　　b．集落にある民家の屋根裏部屋

　　c．集落にあるガジマルの木の上

日米最後の決戦といわれた沖縄戦は，米軍にとっても厳しい戦いでした。米軍の人的損害は4万9151人で，そのうち1万2520人が戦死または行方不明になり，3万6631人が負傷しました。日本軍の抵抗が予想以上に強かったことに加え，亜熱帯地域の複雑な地形が大きな犠牲を生み出す要因になったと思われます。

(20) 写真でもわかるように，アメリカ軍は多くの住民を戦場から救い出してくれました。沖縄戦記録フィルムなどを見ていると，そのことがよくわかります。では，米兵による住民被害はどうだったのでしょうか，次の文を読み正しいものを選んでください。（　　　）

米軍に保護される母と子
（沖縄県平和祈念資料館提供）

a．米軍は住民対策を徹底しており，戦中・戦後を通して，米兵による略奪や性暴力などの犯罪はなかった。

b．米軍は住民対策をとってはいたが，戦中・戦後を通して，米兵による性暴力事件は住民を震撼させた。

c．米軍は住民対策を徹底しており，米兵による民間地域への攻撃はおこなわれなかった。

(21) 沖縄戦を経験した米海兵隊員のあいだには，次のようなブラックジョークがあります。兵士Cの言葉がオチになります。下記のa・b・cのなかから空欄に入る言葉を選んでください。（　　　）

兵士A：「俺の友人ジョニーは，沖縄で戦死して地獄に落ちたんだ。だけど，やつは平気な顔してたんだよ。」

兵士B：「どうしたってんだ？」

兵士A：「やつは，二週間ものあいだ，そこが地獄だってことを知らなかったんだ」

兵士C：「- 」

a．沖縄戦は地獄より恐ろしかったってわけか。

b．ジョニーは死んでまでボケていたってわけか。

c．アメリカと沖縄では地獄の世界が異なるってわけか。

（22）2016年度のアカデミー賞を2部門（編集賞・録音賞）受賞した映画『ハクソー・リッジ』は，沖縄戦で武器を持たず，衛生兵として多くの命を救った米兵の実話をもとに描かれた作品です。「感動的な映画」との評価もありましたが，悲惨な住民の犠牲がまったく描かれないなど，現在の米軍美化につながるアメリカ第一主義だとの厳しい指摘もありました。

　　では，ハクソー・リッジとは，どこのことでしょうか。（　　）
　　ａ．宜野湾の嘉数高地
　　ｂ．浦添の前田高地
　　ｃ．那覇の慶良間チージ

（23）沖縄戦で活躍した米兵はその戦功がたたえられ，沖縄のあるものの名称に彼らの名前が使われました。それは何でしょうか。（　　　）
　　ａ．海兵隊の基地の名称
　　ｂ．海兵隊基地内にあるレストランの名称
　　ｃ．海兵隊基地内にあるビーチの名称

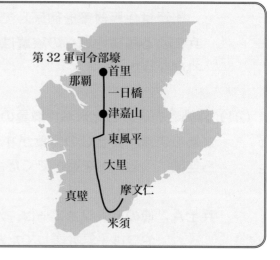

日本軍は米軍の猛攻に屈し，司令部のある首里一帯は西・北・東の三方から包囲されてしまいました。5月22日, 第32軍（日本軍）は，司令部壕の放棄を決め，27日夜，南部の摩文仁方面への撤退をはじめました。5月31日，首里の司令部壕は米軍に占拠されました。

第32軍司令部壕
那覇　首里
一日橋
津嘉山
東風平
大里
真壁　摩文仁
米須

（24）米軍に三方を包囲された司令部では，総攻撃による玉砕か撤退による持久戦かで意見が分かれました。なぜ，参謀たちは後者を選択したのでしょうか。（　　）
　　ａ．人口の多い都市部の住民を守るため，やむをえず撤退した。
　　ｂ．敗戦が決まっているなか，これ以上兵士を犠牲にしたくなかった。
　　ｃ．米軍の本土上陸をおくらせるため，時間をかせごうと考えた。

(25) 南風原をはじめ各地の野戦病院には，約1万人の傷病兵が収容されていました。司令部の南部への撤退で，移動に加われなかった重症患者はどうなったでしょうか。（　　　）

　　a．女子学徒などによって，全員，南部のガマに担架で運ばれた。
　　b．手榴弾や青酸カリなどで自決させられたり，銃剣で刺殺された。
　　c．野戦病院は戦時国際法で安全が保障されていたので，治療をほどこされたあと置き去りにされた。

　　沖縄には南西諸島防衛のために創設された陸軍の第32軍のほかに，大田実司令官のひきいる海軍部隊が配置されていました。海軍部隊は，米軍の上陸とともに陸海軍の現地協定で第32軍の指揮下で陸戦隊として戦闘に参加しました。

©OCVB

(26) 海軍の大田実司令官は，6月6日に沖縄県民に関する電文を海軍次官あてに送りました。それは，どのような内容だったでしょうか。（　　　）

　　a．沖縄県民は軍に協力してよく戦った，戦後は特別な配慮をお願いしたい。
　　b．沖縄県民は軍に非協力的であった，戦後はその責任を追求すべきである。
　　c．沖縄県民は軍を敵視して米軍に協力しているので，その対策を急ぐべきである。

　　日本軍（第32軍）が撤退してきた南部一帯は，琉球石灰岩の自然洞穴が多く，一般住民がたくさん避難していました。そのため，このせまい地域に軍民あわせて十数万人が雑居することになりました。

(27) 軍隊と住民が混在した状況のなかで，日本軍は住民に対してどのような態度をとったのでしょうか。（　　　）

　　a．米軍の攻撃から，身を挺して住民を守ろうとした。
　　b．ガマから追い出したり，スパイ容疑で殺害したりした。
　　c．ガマや食料を提供し，米軍に投降するようすすめた。

(28) 米軍の猛攻を受けた南部戦線では，畳一枚におよそ何発の弾丸が撃ち込まれたといわれているでしょうか。（　　　）

　　a．約60発　　　　　　b．約80発　　　　　　c．約100発

(29) 写真の日本兵と思われる男性たちは，なぜフンドシ姿で投降してきたので
しょうか。（　　　）

　　a．米軍のビラに「男は褌もしく
　　　は猿股だけを着け」て投降する
　　　ようにと書いてあったから。

　　b．ガマのなかはとても蒸し暑く，
　　　ずっと褌一丁で生活していたか
　　　ら。

　　c．着ているものを脱いで褌一
　　　丁で洗濯しているときに見つ
　　　かったから。

（沖縄県平和祈念資料館提供）

> 　摩文仁一帯にせまった米軍は，6月17日，全軍が1時間砲撃を中止して，第32軍の司令
> 官・牛島満に無条件降伏を勧告しました。しかし，司令官はこれを無視し，戦闘をやめませ
> んでした。
> 　18日に米軍の沖縄占領部隊総司令官・バックナー中将が戦死し，日本軍は米軍の猛烈
> な報復攻撃にみまわれました。
> 　6月19日，おいつめられた牛島司令官は，「最後まで戦うように」との命令をだして，6月
> 23日に長勇・参謀長とともに自決しました。

(30) 司令官の自決によって，日本兵の行動はどうなりましたか。（　　　）

　　a．住民が日本兵の命令に従わなくなり，秩序が混乱した。
　　b．徹底抗戦の構えをとり，住民殺害も多発した。
　　c．日本の将兵による権力争いがおこった。

(31) 宮古・八重山では地上戦はありませんでしたが，ある感染症でたくさんの
被害を出しました。その感染症とは何でしょうか。（　　　）

　　a．天然痘

　　b．デング熱

　　c．マラリア

1945年7月，米国・英国・中国は，日本に無条件降伏を求めるポツダム宣言を通告しました。しかし，鈴木貫太郎内閣は，天皇制度の存続に対する確証がないことを理由に，これを黙殺しました。

　8月6日，米国は広島に原子爆弾を投下しました。ソ連も8日に，日ソ中立条約を無視して宣戦布告し，翌9日，満州・朝鮮への軍事介入をはじめました。同日，米国も長崎に原子爆弾を投下。これによって日本政府はポツダム宣言の受諾を決定しました。8月15日，日本国民は天皇のラジオ放送で敗戦を知らされました。

　9月2日，米国艦船ミズーリ号で降伏文書の調印がおこなわれ，あしかけ15年におよんだ戦争は終わりをつげました。

(32) 広島・長崎では被爆後5年間に，あわあせてどれだけの被爆者がなくなったでしょうか。（　　　　）

　　a．14万人　　　　　　b．24万人　　　　　　c．34万人

(33) 沖縄の日本軍が公式に降伏文書に調印したのは，1945年の何月何日だったでしょうか。（　　　　）

　　a．7月7日

　　b．9月7日

　　c．10月7日

降伏調印式（沖縄県公文書館提供）

(34) 現在でも遺骨収集はおこなわれていますが，収集された遺骨のうち米兵のものと思われるのは，およそ何％でしょうか。（　　　　）

　　a．ほとんどない　　　　b．約5％　　　　　c．約10％

　沖縄戦では，日米あわせて20万人余の尊い生命が失われました。戦後すぐに県や地域住民の手で組織的な遺骨収集がはじめられましたが，いまでも約2800柱が未収骨になっていると見られています(2020年現在)。

(35) 科学技術の発達した現在では，ある方法で収骨された遺骨を遺族のもとへかえす努力がなされています。その方法とは何でしょうか。

　　　　　　　　　　　　　　　　　（　　　　　　　　　　　　）

2▶ 日米最大の戦闘といわれた沖縄戦は，"醜さの極致"として特筆されるほど凄まじいものでした。この悲惨な沖縄戦の特徴をまとめると，次のようになります。空欄にあてはまる用語を，下の語群から選んで書きいれてください。

① 日本軍にとって勝ち目のない沖縄戦は，本土防衛・国体(天皇制)護持のための時間かせぎの戦いで，（　　　　　　　）とよばれた。

② 米英軍による（　　　　　　　）で多くの住民(非戦闘員)が犠牲になった。

③ 住民をまきこんだ激しい（　　　　　　　）が展開された。

④ 疎開等の住民保護対策が不十分なうえ，住民が根こそぎ戦場に動員され，（　　　　　　　）の一体化の指導方針のもとで多くの住民が犠牲になった。

⑤ 正規軍人よりも，（　　　　　　　）の犠牲の方が多かった。

⑥ 朝鮮半島出身の女性や地元遊郭の女性などが（　　　　　　　）にされたり，米兵による性暴力などで女性の人権がいちじるしく蹂躙された。

⑦ 日本兵による（　　　　　　　）事件が多発した。

・直接手を下した例…スパイ容疑による虐殺，乳幼児虐殺。

・死に追いやった例…日本軍の命令・指導による「　　　　　　　」の強要（強制集団死）。食料強奪，壕追いだし等が原因となった死亡。

語群
| 地上戦 | 無差別攻撃 | 捨石作戦 | 集団自決 | 住民虐殺 |
| 軍官民共生共死 | 日本軍「慰安婦」 | 沖縄住民 |

3▶ 「平和の礎」には，どれだけの戦没者が刻銘されているでしょうか。

出身者		刻銘者数
日本	沖縄県	149,547 人
	県外都道府県	77,456 人
外国	米国	14,010 人
	英国	82 人
	台湾	34 人
	北朝鮮	82 人
	韓国	382 人
合　計		（　　　　）人

(2020 年 6 月現在)

平和を願い「ひめゆり」と生きた仲宗根政善(1907〜1995)
〜軍国主義教育を反省〜

仲宗根政善は沖縄島北部の今帰仁間切（現・今帰仁村）に生まれました。仲宗根家は数千坪の田畑や山林を有する豊かな農家でした。政善は，まじめで働き者の父と，物静かでやさしい母の愛情をうけて，すくすくと育ちました。

勉強のよくできた政善は，小学校を卒業すると県立第一中学校に進学し，1929年に福岡高等学校から東京帝国大学（現・東京大学）の国文科に入学しました。そのころ，のちに「沖縄学の父」とよばれる伊波普猷に出会い，沖縄文化の豊かさに気づかされて，出身地の今帰仁方言の研究にうちこむようになりました。

1932年に大学を卒業し，翌年，県立第三中学校に迎えられました。3年後には県師範学校女子部・県立第一高等女学校の教師として赴任しました。まだ29歳の政善は，「東大出のハンサムな先生」として生徒たちから慕われました。

優秀な教師だった政善は1937年，東京に派遣されて天皇国家の国民を育てることを目的とした研究所で教育をうけました。日本が中国で本格的な侵略戦争をはじめたころで，着実に軍国教師への道を歩みはじめていたのです。

1945年3月末の米軍の沖縄上陸前に，中学校・実業学校以上の男女学生は，法的根拠もないまま学徒隊に編成されて，戦場に駆りだされました。3月23日，女子師範・一高女の生徒たちは，南風原の陸軍病院へ動員されました。政善は引率教師として，第一外科に配属されました。

5月にはいると米軍の攻撃は激しさをまし，生徒にも犠牲者が出ました。25日には南部に撤退することになり，重症患者を毒殺したうえ，負傷して動けない生徒をガマ（壕）に残していかなければなりませんでした。みずからも傷をおった政善は，「すまない。必ず迎えに来るからそれまで頑張ってくれ」と，心の中で何度もわびながら南部へむかいました。

しかし戦況はよくならず，6月18日の深夜，日本軍は女子学徒隊に解散命令を出したのです。「ガマの外は鉄の暴風が荒れ狂う戦場だ。どのようにして親もとに帰れというのだ」。憤ってもどうにもなりません。日本兵は軍刀を手にして生徒たちを追い立てました。政善も意を決して，砲弾の嵐の中へとび出していきました。首筋に弾丸をうけましたが，運良く一命をとりとめました。

とちゅうで 12 人の今帰仁出身の生徒たちといっしょになり，行動をともにしました。しかし，周囲はすでに米兵に取り囲まれていました。アダンの陰で生徒たちが車座になって震えています。福地キヨ子が「先生いいですか」と叫び，手榴弾の栓をぬこうとしました。

　政善は，「ぬくんじゃない」「死ぬんではないぞ」と厳しく制しました。

　このいたいけな生徒たちを残虐に殺してはいけない，と思ったのです。米兵を見たとき，直感的に人間に対する「信頼」が魂を揺さぶったのです。

　1946 年 4 月 7 日，第三外科壕のあとに「ひめゆりの塔」が建てられ，慰霊祭がおこなわれました。政善は，

　　いわまくら　かたくもあらん

　　　　　やすらかに　ねむれとぞいのる　まなびのともは

　（戦場に散り　岩をまくらに　無念のままたおれた友たちよ　どうかやすらか
　　に眠ってくださいと祈り続けます　私たち生き残った学友は）

という歌をささげました。

　1995 年，戦後 50 年の年に仲宗根政善は 87 歳でなくなりました。軍国教育を反省し，ひたすら平和を願い「ひめゆり」と生きた生涯でした。

ひめゆりの塔

　1946 年 1 月，米軍によって南部の激戦地跡に移された旧・真和志村の金城和信村長らによって遺骨が収集され，「ひめゆりの塔」が建てられました。その後，ハワイ二世の儀間真一氏の資金提供で土地を購入し，慰霊塔の整備がなされました。

　1989 年に「ひめゆり平和祈念資料館」がオープンし，仲宗根政善が初代館長となりました。

ひめゆりの名称

　一高女と師範の併置にともなって名づけられた校友会誌の名称で，「乙姫（一高女）」と「白百合（師範）」をあわせて「ひめゆり」となりました。

8 沖縄の基地問題について，知っておきたいこと

1▶ 次の文章は，沖縄の軍事基地について述べたものです。空欄にあてはまる数字と用語を語群から選んで書きいれてください。

　復帰後，沖縄の米軍基地は，県民の意思を問うことなく ① [　　　　　　　] によってひき続き使用されることになりました。基地の整理統合はすすめられましたが，返還されたのは全体のわずか 15% ていどにすぎませんでした。

　沖縄は全国からみると，面積が ② [　　　] %，人口が ③ [　　　] %の小さな県です。その沖縄に今なお全国の米軍専用施設の約 ④ [　　　] %が集中しているのです。これは県土面積の 8.2%を占めており，沖縄島にかぎると約 ⑤ [　　　] %にもおよびます。次に米軍基地の多い青森県が約 ⑥ [　　　] %ですから，いかに沖縄に過重な軍事負担がのしかかり，県民生活が異常な状態におかれているかがわかるでしょう。しかも，基地は陸上だけでなく，空や海にも訓練域として広がっているのです。そのため，復帰 49 年たった今なお基地からの航空機騒音，環境破壊，米軍人等による犯罪はたえず，県民に多大な被害をおよぼしているのです。

　では，なぜ基地の実態は変わらないのでしょうか。日米両政府の合意による日米安保条約が存在するからであり，米軍がいまなお沖縄を ⑦ [　　　　　　　] としての認識をもちつづけ，日本政府がその維持費の約 70%をかたがわりしているからにほかなりません。

　また 2019 年現在，沖縄には陸・海・空の ⑧ [　　　　　　] を合わせて 50 施設 (県土面積の 0,3%) あり，約 7,700 人の自衛官が配備されています。

語群

0.6	1	9	14	18	70	80

自衛隊　　日米安保条約　　日米地位協定　　太平洋の要石

2▶ 沖縄に配備されているアメリカの 4 軍とは，陸軍・海軍・空軍，そしてもう一つは何でしょうか。(　　　　　　　　　)

3▷次の表は，米軍基地の占める割合が高い市町村です。空欄にあてはまる市町村名と占有率を，語群から選んで書きいれてください。

順位	市町村	占有率
1	嘉手納町	①
2	②	55.6%
3	北谷町	52.3%
4	宜野座村	50.7%
5	③	35.6%

<語群>
金武町　読谷村
東村　宜野湾市
58.0%　62.8%
72.0%　82.0%

沖縄の米軍及び自衛隊基地(統計資料集)令和2年3月より

4▷次の表は，市町村財政に占める基地関連収入の高い市町村です。空欄にあてはまる市町村名と占有率を，語群から選んで書きいれてください。

順位	市町村	占有率
1	①	②
2	金武町	29.0%
3	恩納村	26.1%
4	③	25.4%
5	名護市	13.4%

<語群>
伊江村　宜野座村
東村　嘉手納町
33.7%　38.4%

沖縄の米軍及び自衛隊基地(統計資料集)令和2年3月より

5▷2004年8月13日，普天間飛行場所属のＣＨ５３大型ヘリが沖縄国際大学本館に衝突し，墜落炎上しました。その際，米軍は現場一帯を占拠し，大学関係者や警察，消防などを排除して事故処理にあたりました。
　そのときの根拠となった協定を，何というでしょうか。

協定：（　　　　　　　　　　　）

6 次の地図のＡ～Ｈは在沖米軍基地を示しています。（1）～（3）の設問
に答えてください。

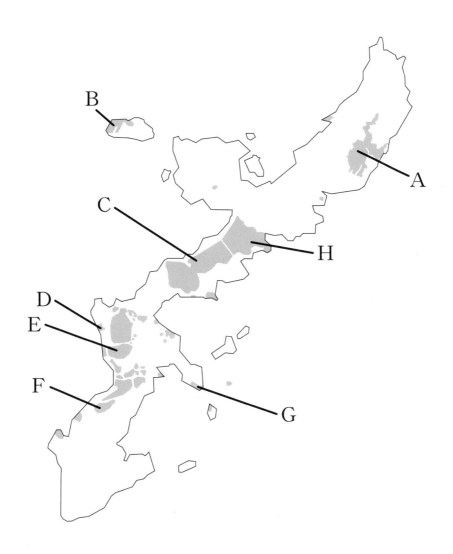

（1）Ｃの基地の名称を，選んでください。（　　）
　　 ａ．トリイ通信施設　 ｂ．嘉手納基地　 ｃ．キャンプ・ハンセン

（2）普天間飛行場の場所を，Ａ～Ｈのなかから選んでください。（　　）

（3）普天間飛行場の移設先（新基地建設）として，反対運動がおこっている場
　　 所にある基地を，Ａ～Ｈのなかから選んでください。（　　）

7 次の設問に，○×で答えてください。

（1）米軍によってつくられた普天間基地は，公共施設や人の居住する村のない原野につくられた。（　　）

（2）米国では航空機の滑走路の延長線上900m以内は無人地域に指定されており，3000m以内でも家畜は飼えても人の居住は認められていない。（　　）

（3）日本最西端の与那国島にも，自衛隊員とその家族が約250人住んでいる。（　　）

（4）軍用地主の年間の平均地料は，約500万円程度である。（　　）

（5）沖縄経済に占める基地関連収入は，5％程度である。（　　）

（6）1997年に行われ名護市の市民投票では，過半数が米軍基地の受け入れ（普天間基地の移設）に賛成の意思表示をした。（　　）

（7）1996年に行われた「日米地位協定の見直しと，基地の整理縮小」を問う県民投票では，賛成が反対をわずかに上回った。（　　）

（8）海兵隊基地の名称，キャンプ・ハンセン，キャンプ・シュワブ，キャンプ・コートニー，キャンプ・マクトリアスは，沖縄戦で活躍した海兵隊員の名前をとってつけられた。（　　）

（9）垂直離着陸輸送機MV22オスプレイは安全性が高いと言われ，2012年に沖縄に配備されてからも事故はおこっていない。（　　）

（10）日米間の騒音防止協定で，午後10時から翌朝の午前6時まで米軍機の飛行は制限されている。（　　）

（11）沖縄には約4万7000人の米軍人・軍属および家族が居住している。（　　）

（12）思いやり予算などで，在日米軍経費の約25％を日本が負担している。（　　）

ナカユクイ　沖縄はなぜ基地を拒否するのか

　沖縄の文化は「やさしさの文化」とか「非武の文化」だといわれています。近世期に琉球をおとずれた西洋人が，争いをこのまない琉球人を評したことばです（注）。

　そんな沖縄の人びとが，ひにくにも「沖縄戦」で県民の4人に一人を犠牲にするという，筆舌につくしがたい悲惨な体験を味わわされたのです。そして米軍支配下では，米軍人・軍属の横暴に苦しめられ，ベトナム戦争では，基地をゆるすことは戦争の加害者にほかならないという体験をさせられたのです。

　こうした経験から，沖縄の人びとは戦争によって国際紛争を解決するのではなく，戦争をおこさない努力をする「命どぅ宝」の精神を教訓としてえました。戦争の犠牲者にも加害者にもなりたくない，というのが「沖縄の心」なのです。

　「日本復帰」を望んだ沖縄の人びとが，米軍基地の「即時・無条件・全面返還」を求めたのも，そのためでした。にもかかわらず，日米両政府は沖縄の声には耳をかたむけず，日本全国の70%におよぶ米軍基地をおしつけたままなのです。

　みずからの意思を反映できない異国の基地をみとめることは，人間としての自尊心を失うことでもあるのです。基地問題は経済の問題ではなく，人間の生きかたにかかわる問題なのです。沖縄の人びとが米軍基地の県外・国外への移設を求める大きな理由がそこにあります。

　しかし，現実の沖縄は，基地に反対しながら基地に依存して生活させられている（思い込み）という，矛盾した状況におかれたままなのです。

(注)　1827年に来琉したイギリス船ブロッサム号の航海記録には，琉球住民の特性を「彼らは戦争になるより，持っているものをすべて投げ出してもいいと思っている」と記しています。他の航海記録にも同様の記述が見られ，王府の外交スタンスも「兵なく力なく，ただ礼儀を持って接することが最善である」というものでした。

行ったことあるよ！（おきなわの世界遺産）

・

・

・

知ってるよ！使ってるよ！（ウチナーグチ）

・

・

・

※書いてみよう！知っていること、経験したこと。

第 2 部
琉球・沖縄の歴史や文化など

9 琉球・沖縄の歴史について，知っておきたいこと

先史時代

1 ▶ 日本の旧石器時代の化石人骨（かせきじんこつ）の多くは，沖縄で発見されています。旧石器時代に関するそれぞれの問いに答えてください。

日本の旧石器時代の主な化石人骨 （地図は比較用に変形）

（1）沖縄は化石人骨の宝庫（ほうこ）といわれ，旧石器時代の化石人骨がたくさん発見されています。どうしてでしょうか。（　　）

　　a．本土よりも，たくさんの旧石器時代の人が住んでいたから。
　　b．海産物を多く食べていたので，骨が丈夫（じょうぶ）だったから。
　　c．炭酸カルシウムをふくむ琉球石灰岩（りゅうきゅうせっかいがん）は，骨の保存（ほぞん）に適（てき）しているから。

（2）現在，日本で最も古いとされている2万7000年前の化石人骨（かせきじんこつ）は，沖縄県の石垣市で発見されています。何という遺跡（いせき）でしょうか。（　　）

　　a．白保竿根田原洞穴遺跡（しらほさおねたばるどうけついせき）

　　b．フルスト原遺跡（ばるいせき）

　　c．大田原遺跡（おおたばるいせき）

（写真提供：国立科学博物館）

（3）日本の旧石器時代人の全身像（ぜんしんぞう）をあきらかにした，旧・具志頭村（ぐしかみそん）（現・八重瀬町（やえせちょう））で発掘（はっくつ）された化石人骨（かせきじんこつ）の名前は何でしょうか。（　　）
　　a．サキタリ洞人（どうじん）　　b．山下町洞人（やましたちょうどうじん）　　c．港川人（みなとがわじん）

（4）2016年，南城市のサキタリ洞遺跡で，世界最古となるある遺物が発見されました。それは何でしょうか。（　　）

a．石灰岩製の矢じり

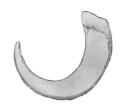
b．貝製の釣り針

c．赤土製の土器

ナカユクイ　港川人は沖縄人の祖先なのか

　当初，港川人は頭の骨が中国南部で発見された柳江人ににていることから，中国大陸からわたって来たと考えられていました。また，その顔の特徴が縄文人ににていることから，彼らが大陸や琉球列島を北上して本土へわたり，やがて日本人の祖先の一系統になったと見られていました。

　ところが近年の研究で，復元された港川人のアゴにゆがみが確認され，再検証の結果「縄文人よりも，オーストラリア先住民やニューギニアの集団に近い」ことがわかりました。そのことから，港川人を沖縄人の祖先だとする考えについても，生活拠点を移動していた旧石器時代人が，琉球列島にもやってきて居住していたのであり，現代沖縄人とむすびつけて考えるのは無理があるとの見方が強くなっています。

港川人のアジア南方起源説をもとに描いた復元モデル
制作：2010年5月，写真提供：国立科学博物館　画：山本耀也，監修：海部洋介，坂上和弘，馬場悠男
（国立科学博物館提供）

　おそらく，20万年前にアフリカを旅立った旧石器人は，アジア各地を移動するなかで小舟を使って海を渡る技術を身につけ，約3万年前に琉球諸島へもやってきたのでしょう。もちろん，定住を前提としていたことは考えにくく，ここからさらに他地域へ移住していったり，また別の集団がやってきたりして居住するということが，長い年月のスパンでくりかえされてきたものと思われます。そのうちの一つの集団が，港川人だったのでしょう。

2 貝塚時代の沖縄から，弥生時代の日本にあるものが大量に運ばれました。それは何でしょうか。（　　）

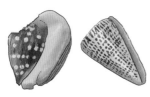

a．貝

b．熱帯魚

c．テーブルサンゴ

3 次の遺物のなかで，宮古・八重山諸島でしか発見されていないものは何でしょうか。（　　）

a．石斧

b．貝斧

c．貝匙

4 琉球諸島では長い貝塚時代のあと，11世紀末ごろに農耕社会を基盤とするグスク時代が形成されました。この時代に，奄美諸島から宮古・八重山諸島の交流がはじまり，やがて一つの文化圏を形成します。
　　それを証明する遺物で，徳之島でつくられていたものは何でしょうか。（　　）

a．石鍋

b．壺屋焼

c．カムィヤキ

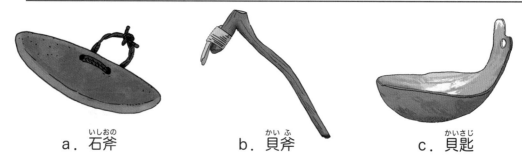

鹿児島
トカラ列島
カムィヤキの分布範囲
徳之島
奄美大島
沖縄
那覇
波照間島
与那国島

5 11世紀末ごろからはじまった農耕社会のことをグスク時代といいますが，そのころ各地にあらわれた有力豪族（ゆうりょくごうぞく）のことを何というでしょうか。（　　）

a．司（つかさ）

b．按司（あじ）

c．親方（ウェーカタ）

6 次の琉球の王統に関する空欄（くうらん）a〜cに，もっとも適した用語を語群（ごぐん）から選んで書き入れてください。

	王　統	伝　説	内　　　容
1	天孫氏王統（てんそんし）（〜1187年）	島立神話	天帝の命をうけた阿麻美久（あまみく）が島々を作り，人をすまわせたという神話。日本の歴史書などを参考にして作られたと思われる。
2	a _____王統（1187〜1259）	為朝伝説	源氏一族の源為朝（みなもとのためとも）の子が琉球最初の国王・舜天（しゅんてん）になったという。その名は，中国の伝説上の聖天子・舜天にちなんだものという。
3	b _____王統（1260〜1349）	てだこ伝説	太陽の子とよばれて尊敬（そんけい）され，国王となる。泊に役所を作り，各島々を支配下に置いたという。浦添ようどれを築いたとされる。
4	c _____王統（1350〜1405）	はごろも伝説	天女（てんにょ）の子どもが国王になったという。1372年，中国のまねきにより，はじめて入貢。中国皇帝から琉球の国王として承認（しょうにん）される。
5	第一尚氏王統（1406〜1469）	小按司伝説（こあじ）	佐敷（さしき）の按司（あじ）から中山王となった尚巴志（しょうはし）が，1429年に三山を統一して，琉球王国を形成。祖父は伊平屋島（いへやじま）の出身だという。
6	第二尚氏王統（1470〜1879）	百姓からの出世伝説	伊是名島（いぜなじま）の百姓・金丸（かなまる）が，第一尚氏の越来王子（ごえく）（尚泰久（しょうたいきゅう））に仕えて出世し，泰久なき後にクーデターで権力を奪（うば）い，尚円王（しょうえんおう）となった。

語群　　察度（さっと）　　舜天（しゅんてん）　　英祖（えいそ）

7 琉球の国王はかってに「王」を名乗っていたのではありません。中国の皇帝から認められてはじめて，正式に琉球国王となることができたのです。そのために中国から派遣（はけん）される使節のことを，冊封使（サップーシ）といいます。

冊封使について，次の設問に答えてください。

朝貢の意味：中国皇帝に貢物（みつぎもの）を納めて忠誠（ちゅうせい）を誓（ちか）うこと。

冊封の意味：中国皇帝が朝貢国の首長に対し，王・候などの爵位（しゃくい）を授（さず）けること。
↓
皇帝が服属国の領土や主権を侵（おか）したり，政治・宗教・慣習（かんしゅう）などに干渉（かんしょう）することはなかった。

（1）琉球が中国の招きで，初めて中国に朝貢したのはいつのことですか。

（　　）

　　a．1372年　　　　b．1401年　　　　c．1570年

（2）琉球国王を冊封（サップー）するための使節団は，どれくらいの人数だったでしょうか。

（　　）

　　a．約50人　　　　b．約200人　　　　c．約400人

（3）冊封船は帆船（はんせん）なので，季節風を利用して琉球にやってきました。何月ごろにやってきたでしょうか。（　　）

　　a．2月〜3月ごろ　　b．5月から6月ごろ　　c．9月から10月ごろ

（4）冊封使は琉球にどれくらいの期間滞在（たいざい）したでしょうか。（　　）

　　a．約1か月　　　　b．約半年　　　　c．約1年

8▶ 14世紀末から1570年ごろまで，東アジア・東南アジアを舞台に琉球が おこなっていた貿易活動を，何時代とよんでいるでしょうか。（　　）

a．大交易時代　　　b．大航海時代　　　c．大貿易時代

9▶ この時代に，東南アジアで活躍していた琉球人のことを，ポルトガル人の トメ・ピレスは『東方諸国記』で何と記しているでしょうか。（　　）

a．オキコ人　　　b．リュウチュウ人　　　c．レキオ人

10▶ つぎの図は，三山統一の過程をまとめたものです。①の空欄には人名の， ②の空欄には西暦の記号を書いてください。

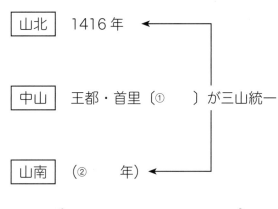

山北	1416 年
中山	王都・首里〔①　　　〕が三山統一
山南	（②　　　年）

a．1429　　b．1449
c．尚思紹　　d．尚巴志

11▶ 三山を統一した第一尚氏王統も，安定した政権ではありませんでした。6 代王・尚泰久のときには，有力な按司同士による争いがおこりました。こ の争いのことを何というでしょうか。（　　）

a．護佐丸・阿麻和利の乱

b．志魯・布里の乱

c．謝名一族の乱

12▷ 第二尚氏王統の第３代王として，琉球の黄金期を築いたといわれる人物はだれでしょうか。（　　）

a．尚宣威

b．尚維衡

c．尚真

13▷ 1500 年，八重山でおこった地元の有力者と首里王府との戦いを，何というでしょうか。（　　）

a．サンアイイソバの戦い

b．仲宗根豊見親の戦い

c．オヤケアカハチの戦い

14▷ 中国の皇帝に貢物をおさめるために派遣される船を，進貢船といいます。図のように，進貢船には航海安全を祈願したおもしろい装飾がほどこされています。
　　進貢船について，それぞれの問いに答えてください。

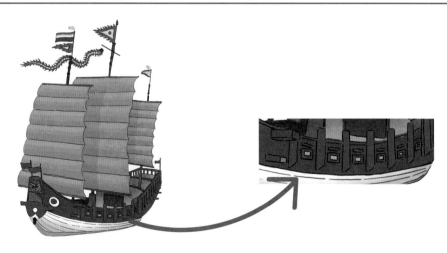

（1）進貢船は，何月ごろ那覇港を出港したのでしょうか。（　　）

（ヒント：帆船なので，風まかせの航海となります。）

    a．梅雨明けの南風が吹きはじめるころ
    b．旧暦９月の新北風が吹きはじめるころ
    c．強風の二月風廻りが吹きはじめるころ

（2）中央マストになびいている旗は，何をあらわしたものですか。（　　）
    a．竜　　　　　　b．ハブ　　　　　c．ムカデ

（3）船の胴体部分に描かれた四角は，何をあらわしたものですか。（　　）
    a．大砲門　　　b．のぞき穴　　　c．オールを出す穴

15 次の図の①〜④にあてはまる産物を，下記の語群から選んで記号を書いてください。

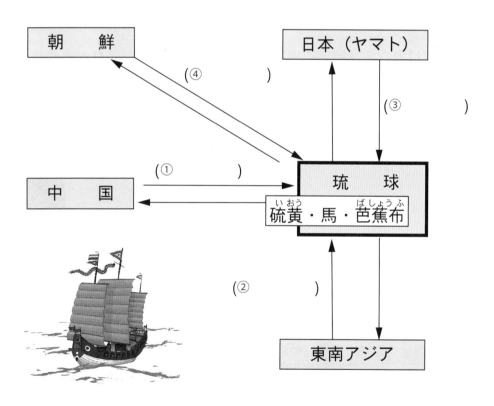

語群
  a．生糸・絹織物・陶磁器
  b．蘇木・胡椒・象牙
  c．刀剣・扇・漆器
  d．綿織物・朝鮮人参

16▶ 大交易時代，琉球は東南アジアのどの国と，もっとも多く貿易をおこなっていたでしょうか。（　　）

a．シャム（タイ）

b．マラッカ

c．ジャワ

海外貿易図
（高良倉吉著『琉球の時代』を参考に作成）

17▶ 首里城正殿には，琉球の大交易時代を象徴する「万国津梁の鐘」が吊り下げられていました。鐘銘には「琉球は諸外国に橋を架けるように船を通わせて交易をしている」と，大交易で発展した琉球王国の気概が刻まれています。

　現在は県立博物館・美術館に展示されていますが，なぜか釣鐘特有の青錆色ではなく，鐘の全体が黒くなっています。なぜでしょうか。（　　）

a．沖縄戦で焼け出されたため
b．東南アジア産の鉄でできているため
c．米兵が錆止めに黒ペンキをぬったため

万国津梁の鐘

　暗誦しよう　「万国津梁の鐘」の銘文(抜粋)

　琉球国は南海の勝地にして，三韓の秀を鍾め，大明を以って輔車となし，日域を以って唇歯となす。この二中間にありて湧出する蓬莱島なり。舟楫を以って万国の津梁となし，異産至宝は十方刹に充満せり。

訳：琉球は南海の恵まれた地域に位置しており，朝鮮の優れた文化をあつめ，中国とは頬骨と歯茎のように重要な関係にあり，日本とは唇と歯のように密接な関係にある。琉球はこの二つの国の中間にある理想的な島である。船をかよわせて諸国のかけ橋になり，各国の産物や宝物が国中に満ちあふれている。

18▶ 薩摩島津氏が琉球を侵略したのは，西暦何年でしょうか。（　　）

　　　a．1603 年　　　　b．1606 年　　　　c．1609 年

19▶ 島津氏は琉球を侵略すると，国王はじめ重臣百名余をひきつれて薩摩に凱旋しました。そのときの国王は，だれでしょうか。（　　）

　　　a．尚温　　　　　b．尚寧　　　　　c．尚泰

20▶ 島津氏は徳川家康から琉球の支配権をあたえられると，沖縄諸島以南を首里王府の国土としてみとめ，奄美諸島を島津の領土としました。そのさい，奄美諸島のある島だけは，王府の領地として残しました。その島とはどこでしょうか。（　　）

　　　a．与論島

　　　b．喜界島

　　　c．硫黄鳥島

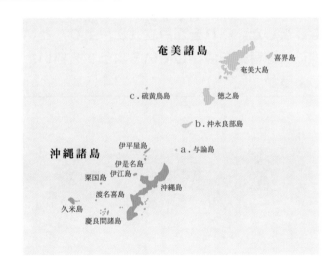

21▶ 島津氏は，尚寧と三司官に対し，島津氏に忠誠を誓う起請文（誓約書）を提出させました。しかし，三司官のある人物はこれを拒否して，死刑になりまた。その三司官とは，だれでしょうか。（　　）

　　　a．鄭迥（謝名親方）

　　　b．程順則（名護親方）

　　　c．魏士哲（高嶺親方）

ナカユクイ 琉球を与えられたお礼として，家康にハイビスカス献上

1609年，琉球侵攻に成功した薩摩藩主・島津家久は，同年12月，大御所として駿府城（現・静岡県）に隠居していた徳川家康に使者を送り，ハイビスカス（仏桑花）など琉球の品々を献上しました。その文書に「琉球國ヲ賜ル謝礼トシテ」とあることから，琉球侵攻後，家康から琉球の支配を約束されていたことがわかります。

家康も真っ赤な南国の花が気にいったらしく，その後も琉球のめずらしい花木を薩摩に求めています。

22▶ 島津氏に支配された琉球は，幕府の将軍が即位したり，琉球の国王が王位についたりすると，お祝いや感謝の使節を江戸へおくることがならわしになりました。これを江戸立（江戸上り）といいます。次の絵は，江戸立の際に琉球音楽を演奏しているようすを描いたものです。女性は何人いるでしょうか。（　　）

琉球人座楽の図 （沖縄県立博物館・美術館提供）

a．7人　　　　　b．3人　　　　　c．いない

23▶ 玉城 朝薫が冊封使をもてなすために創作した芸能を，何というでしょうか。

a．組踊

b．沖縄芝居

c．古典舞踊

24 1666年に摂政となって，薩摩に侵略されたあとの琉球を改革した人物は
だれでしょうか。（　　）

a．羽地 朝秀　　　b．具志 頭 文若　　　c．名護 寵文

25 首里王府の役人は身分に応じて，ハチマチとよばれる冠の色も決められて
いました。一般の士（サムレー）の最高身分は親方で，その次が親雲上と
よばれる身分でした。それぞれのハチマチの色を選んでください。

親方（　　）　　　親雲上（　　）

a．黄冠　　　　　b．紫冠　　　　　c．赤冠

26 首里王府における一般の士階層の者は，どのようにして役職についてい
たのでしょうか。（　　）

a．科試という任用試験が役職によっておこなわれ，それに合格した者が
役人になることができた。

b．毎年，各役所であいた役職の抽選会があり，それに当選したものだけ
が仕事につけた。

c．門中によって役職がきまっていたので，毎年，門中の話し合いで仕事
の割りふりがおこなわれた。

カタカシラの図

ナカユクイ　王府時代のヘアスタイル～ハゲると引退？

王府時代の成人男子の髪型はカタカシラとよばれ，その形は士も百姓も同じでした。マゲにさすカンザシの色は，大名（貴族身分）が金，士が銀，百姓が真鍮と定められていました。

伝承によると，カタカシラは琉球最初の王・舜天が，頭の右側にあったコブを，マゲで隠すためにはじめた髪型だということです。それが近世期になって，頭の上にマゲを結う形に変わり，一般に知られる王府時代の髪型になったといわれています。

ところで，役人は頭がハゲてマゲが結えなくなると，引退しなければなりませんでした。しかし，それでは優秀な人材を失うことになります。そこで1728年に決まりが変えられ，マゲが結えなくなったら頭巾をかぶって勤めることができるようになったのです。

27 いつの時代も若者は血気さかんで，時々はめをはずしておとなを困らせます。しかし，たいていは年齢とともに度をわきまえていくものす。それでも，なかには手に負えない者がいます。

琉球では，そのような不良少年は，親族が役人とともに役所に訴えでて，ある刑に処しています。その刑とは何でしょうか。（　　）

a．島流し

b．強制労働

c．中国船の船乗り

28▶ 首里王府おける実質的な実務の最高職（空欄A）を，何というでしょうか。

（　　　）

国王の補佐　　実務の最高職

国王 → 摂政 → A → 諸役所の長官 → 諸役人

a．三司官　　b．鎖之側　　c．物奉行

ナカユクイ　**王妃は強運の持ち主が選ばれた**

　国王は，おおよそ16~17歳までには結婚しました。王妃候補は按司地頭や総地頭の息女で，健康で才色兼備が条件でした。

　その選考方法はユニークで，庭での遊びを観察して，容貌や健康状態，性格などを見定め，個人面接で言葉遣いや教養のレベルを確認しました。また，食事をとらせ，それぞれの使用した箸を米糠の中に差し込み，箸のどのあたりまでなめたのかを調べました。なめた部分が長いのは，不作法とされたのです。

　このようにして候補者を2～3名にしぼり，最後はある一室に通して自由に好きなところに座らせました。実は部屋のいずれかの畳の下に黄金のハサミ（クガニバサン）が隠されており，その上に座ったものが王妃に選ばれたのです。

29▶ 首里王府の行政組織の最高機関（空欄B）を，何というでしょうか。（　　　）

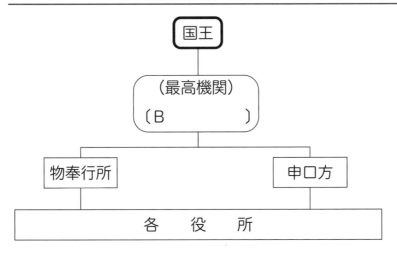

国王

（最高機関）

〔B　　　　　〕

物奉行所　　　　　申口方

各　役　所

a．総奉行　　b．政務院　　c．評定所

30 次の図は首里王府による農村地域の行政組織を表したものです。空欄Cが直接，現在の市町村にあたる間切を指導する役職です。何というでしょうか。（　　）

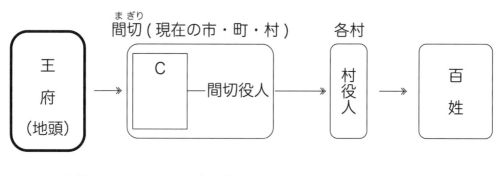

a．間切頭（まぎりかしら）　　　b．地頭代（ジトゥデー）　　　c．地頭役（じとうやく）

31 18世紀半ばごろに三司官となって，農村地域の活性化や山林資源の確保などで，王府財政の立て直しをおこなった政治家はだれでしょうか。（　　）

a．程順則（ていじゅんそく）

b．蔡温（さいおん）

c．鄭迵（ていどう）

32 1605年に進貢船の役人だった野國總管が，中国から持ち帰った農作物は何でしょうか。

a．イモ　　　　　　b．ゴーヤー　　　　　　c．ウコン

33▶ 次の中で，飢饉のときに食べられていたのは何でしょうか。（　　）

　　ａ．パイナップル　　　　ｂ．ヤシの実　　　　ｃ．ソテツ

34▶ 八重山の新城島には，たいへんめずらしい特産物が税として課せられていました。このめずらしい特産物とは何でしょうか。（　　）

　　ａ．ジュゴン　　　　ｂ．マンタ　　　　ｃ．エラブウナギ

35▶ 1771年，八重山諸島は人口の三分の一を失うという未曾有の大惨事にみまわれました。いったい，何がおこったのでしょうか。（　　）

　　ａ．大暴風雨　　　　ｂ．大津波　　　　ｃ．隕石の落下

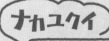 近世期の琉球の人口

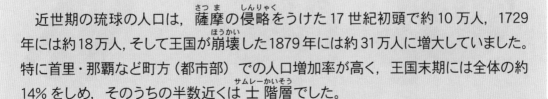

　近世期の琉球の人口は，薩摩の侵略をうけた17世紀初頭で約10万人，1729年には約18万人，そして王国が崩壊した1879年には約31万人に増大していました。特に首里・那覇など町方（都市部）での人口増加率が高く，王国末期には全体の約14％をしめ，そのうちの半数近くは士階層でした。

36 琉球の島々の浜辺には，さまざまなものが流れついてきました。そのため，各村には浜番(はまばん)がおかれ，不審(ふしん)なものが打ち上げられていないか，見まわる仕事がありました。ごくまれですが，ある高価(こうか)なものが流れついてくることもありました。それは何でしょうか。（　　）

a．黒真珠(くろしんじゅ)　　b．玉手箱(たまてばこ)　　c．クジラの糞(ふん)

37 1820年代以降になると，琉球から中国への輸出品の70〜90%をある海産物が占(し)めるようになりました。それは何でしょうか。（　　）

a．アワビ　　b．フカヒレ　　c．昆布(こんぶ)

38 琉球が中国から買い入れていた，最も重要な品物は何でしょうか。（　　）

a．漆器(しっき)　　b．生糸(きいと)　　c．蘇木(そぼく)

39 1816年，イギリスの艦船2隻が東南アジアの調査途上，琉球に寄港し那覇に40日ほど滞在しました。

ある日，バジル・ホール艦長は，琉球の役人を艦船に招待し，西洋料理をふるまってくれました。琉球人は，はじめて食べる料理をおしそうにたいらげましたが，あるものだけは手をつけようとしませんでした。その食べ物とは，何でしょうか。（　　）

a．チーズ

b．パン

c．ステーキ

40 バジル・ホール大佐は，イギリスへの帰国途上にセントヘレナ島へ立ちより，ナポレオンと面会しました。そのとき，琉球について話すと，ナポレオンは驚きの表情を見せたということです。

何を話したのでしょうか。（　　）

a．武器もなく戦争もない，金銀の通貨もないこと。
b．英語やフランス語を話せる人物がいること。
c．ナポレオンのことを知っている人物がいること。

41 北谷町美浜の「アラハビーチ」に，難破船を模した遊具が設置されています。
この船は，どのようないわれのある船でしょうか。（　　）

a．琉球近海を荒らしまわっていた，イギリスの海賊船。

b．東南アジアで密貿易をしていた，イギリス船。

c．アヘン戦争に参加していた，イギリスの輸送船。

42 1844年，フランス船が漂流をよそおって来航し，和好・貿易などを求めてきました。琉球におしよせてきた外圧を，薩摩と幕府はどのようにして解決しようとしたのでしょうか。（　　）

a．軍船を派遣して武力で追い返そうとした。
b．お金で解決しようとした。
c．琉球にかぎって貿易をみとめ，国難をのがれようとした。

43 名護市の屋我地島運天原の岬に，ウランダ（オランダ）墓とよばれる古い墓があります。しかし，葬られているのはオランダ人ではなく，二人のフランス人です。
　なぜ，オランダ墓とよんでいるのでしょうか。（　　）

a．西洋人のことをウランダーとよんでいたから。
b．フランス人をオランダ人と勘違いしていたから。
c．なくなった水兵がオランダ国籍だったから。

44 1851年，ジョン万次郎は琉球を経由して，帰国しました。琉球の役人たちは，洋服姿の万次郎を見て，すぐには日本人だと認識できませんでした。万次郎がもっていたあるものを見て，日本人だと確信したのです。
　万次郎は，何をもっていたのでしょうか。（　　）

糸満市大度海岸に建てられたジョン万次郎の記念碑

a．草履（ぞうり）

b．袷（あわせ）の着物

c．褌（ふんどし）

45▶ 1853年4月，ペリーひきいるアメリカ東インド艦隊は，日本との交渉の前に琉球にやってきました。何をしに来たのでしょうか。（　　）

a．琉球を日本だと勘違いをして那覇にやってきた。

b．日本を開国させるための準備基地としてやってきた。

c．日本に行く前に息抜きのためにやってきた。

「ペルリ提督上陸之地」の碑
（那覇市泊）

46▶ 米国艦隊は，日本を開国させること以外に，日本の地誌を総合的に調査研究する目的をもっていました。ペリー帰国後も琉球にやってきて，たくさんの植物を収集して米国に持ち帰っています。そのなかに，のちにアメリカで広く栽培されるようになったある花の原種も含まれていました。
　その植物とは何でしょうか。（　　）

a．デイゴ

b．テッポウユリ

c．ハイビスカス

ナカユクイ　　那覇市に「ペリー」という地名があった？

　那覇軍港に面した山下町は，戦後の一時期「ペリー」とよばれていました。アジア太平洋戦争で，米英軍を苦しめた山下奉文大将を思い起こさせるからだといわれています。なぜペリーなのかはわかっていませんが，ペリー提督の名前をとったとか，米軍キャンプの指揮官の名前ではないか，などといわれています。現在でも，ペリーの名のついた病院や保育所があります。

47 首里城の正門「歓会門」前に並んでいるのは，明治政府軍の兵士です。何のために日本の兵士が琉球に派遣されたのでしょうか。（　　）

首里城の正門「歓会門」の前に立つ明治政府軍の兵士
（日本カメラ博物館 所蔵）

　a．武力を背景に琉球王国を廃止させるため。

　b．中国軍から琉球をまもるため。

　c．欧米船から琉球をまもるため。

48 1879年3月27日に琉球王国は廃止されました。最後の国王は，だれでしょうか。（　　）

　a．尚泰久

　b．尚泰

　c．尚典

（那覇市歴史博物館提供）

49 1879年4月4日，沖縄県が設置されると中央政府から県令（のちに県知事）が任命されてきました。沖縄県政のはじめ，いわゆる大和世（ヤマトユー）への世替わりです。明治政府がとった，この時代の琉球に対する政策を何というでしょうか。（　　）

　a．旧慣温存策　　　b．旧慣保存策　　　c．旧慣維持策

50 1879年，明治政府による強権的な琉球併合で，沖縄県が設置されました。翌年，清国はアメリカの前大統領グラントが中国にやってくると，琉球の要望をかなえてあげるため，日本と話し合いが持てるよう仲介をお願いしました。

日本はグラントの意見を受け入れ，沖縄諸島以北を日本領土としたうえで，ある条件をだして日本商人が中国で欧米諸国なみに通商ができるよう提案しました。ある条件とは何でしょうか。（　　）

a．当時のお金で，3億円支払う。

b．新型の武器を大量に提供する。

c．宮古・八重山を中国の領土として認める。

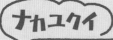 「琉球処分」後の松田道之(1839〜1882)の苦悩

「琉球処分」を断行した松田道之の精神的負担も，そうとう大きかったようです。帰京後，知人に送った手紙には，「病にかかり，吐血や半面痛に襲われ，医者からは精神的なことはすべて忘れるよう強く言われた」と記されています。

その後，東京府知事となり，防火対策や水道敷設など東京の近代都市づくりにとりくみました。しかし，体調は完全には回復していなかったらしく，在職中の1882年に43歳の若さでなくなりました。琉球併合から3年後のことでした。

51▶ 琉球併合（琉球処分）に反対し，清国に助けを求めて中国へわたっていった人たちのことを，亡命琉球人（脱清人）といいます。そのなかの一人に林世功という士族がいました。

彼は，宮古・八重山を中国の領土とする日本案に中国が同意したことを知って驚き，ある行動をとって清国政府に抗議しました。そのことが，中国の調印をためらわせた一因になったともいわれています。林世功がとった行動とは，どんなことでしょうか。（　　）

a．皇帝に直訴した

b．自決した

c．署名活動をはじめた

52▶ 1894年，日清戦争がはじまると，沖縄では神社やお寺に出向いて公然と清国の勝利を祈る人びとがいました。彼らは何とよばれていたでしょうか。
（　　）

a．頑固党　　　b．硬派党　　　c．清国党

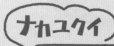 なぜ，日清戦争における日本の勝利が，「琉球の時代」を終わらせて日本への同化を決定づけたのか

日清戦争に勝利した日本は，1895年に下関で講話条約を結びました。中国はこの条約で，（1）朝鮮の独立を承認し，（2）遼東半島（注）および台湾・澎湖諸島を日本に譲り，（3）賠償金として2億両（テール）支払い，（4）沙市，重慶，蘇州，杭州の4港を開くことになりました。

実は（1）の朝鮮の独立は，中国が周辺諸国を従えさせて「国王」などの称号をあたえる，朝貢・冊封体制を終わらせることを意味していたのです。これによって，琉球も王国復活のよりどころを失い，日本に帰属することが決定的となったのです。

（注）三国干渉によって清国に返還。

53▶ 1895年，沖縄尋常中学校でストライキ事件がおこりました。これは，校長のある発言がきっかけでした。いったい，校長は何と言ったのでしょうか。（　　）

　a．諸君はもともと日本人ではないので，愛国心に欠ける。皇国臣民として，もっと天皇を崇拝せよ。

　b．諸君は毛遊びと称する夜遊びに夢中になり，日ごろの勉学をおろそかにしている。これだから，沖縄人は本土人に馬鹿にされるのだ。本日より毛遊びを禁止する。

　c．諸君は普通語さえ満足に話せないのに，英語まで学ばされている。かわいそうなので英語の教科を廃止する。

54▶ 1903年，大阪で開催された勧業博覧会の会場周辺で，沖縄の女性や外国人を見世物にするという人類館事件がおきました。沖縄の新聞はこれに激しく抗議しました。それは，どういう立場からの抗議だったのでしょうか。（　　）

人類館で見世物にされた人びと（前列左側の2人が琉球人女性）
（伊藤勝一氏蔵　那覇市歴史博物館提供）

　a．琉球人は立派な皇国臣民であるにもかかわらず，見世物にしたうえ，外国人として紹介していることは屈辱である。

　b．琉球人を，台湾先住民やアイヌなどの劣等民族と同一にならべ，見世物にしていることは屈辱である。

　c．人間はみな平等であるはずなのに，琉球人をはじめ特定の民族を見世物にするということは，ゆるせない行為である。

55▷ 沖縄の一般県民に徴兵令が適用されたのは，西暦何年でしょうか。（　　）

a．1894年

b．1898年

c．1902年

56▷ 第一次世界大戦がはじまると砂糖価格が高騰し，沖縄の生産農家に大きな利益をもたらしました。しかし，1918年に大戦が終わると，国内の景気は後退し，昭和恐慌といわれる深刻な不況にみまわれました。

　　沖縄では，大正末期から昭和初期にかけておこったこの恐慌を，何とよんでいるでしょうか。（　　）

a．ソテツ地獄　　　　　b．アリ地獄　　　　　c．飢餓地獄

沖縄戦

57▷ 次のできごとは沖縄戦に関するものです。時間経過の順にならべてください。

順序　①（　　）→②（　　）→③（　　）→④（　　）

a．対馬丸撃沈　　　　　　b．米軍の慶良間諸島上陸
c．米軍の沖縄島上陸　　　d．10・10空襲

58▶ 米軍の沖縄島上陸で日本軍がとった作戦は，何というでしょうか。（　　）

  a．持久作戦　　 b．水際作戦　　 c．特攻作戦

59▶ 沖縄戦が公式に終了したのは，何月何日でしょうか。（　　）

  a．6月23日　　　　 b．8月15日　　　　 c．9月7日

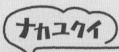

沖縄のチャップリン
～小那覇舞天(本名・全孝)の笑いの世界～

 1897年，舞天こと小那覇全孝は現在の今帰仁村に生まれました。東京で日本歯科医学専門学校を卒業したあと，嘉手納で歯科医院を開業しました。

 沖縄芝居が好きで，地域の行事等では琉球舞踊や自作の漫談を披露して人気者になりました。学生のころ，浅草の喜劇を観て笑いの魅力に取りつかれていたのでした。しかし，そんな生活も沖縄戦で一変しました。

 戦後，沖縄の住民は米軍がつくった難民収容所に収容されました。人びとは敗戦の失意のなか，生きることに精一杯でした。

 舞天は，いつまでも泣き暮らしてはいられない「生きのびることができたお祝いだ」といって，収容所の広場でサンシンを弾いて沖縄民謡を歌い，みじめな現状を風刺のきいた漫談で笑いとばしました。ある者は「家族をなくして悲しんでいるのに，どうしてお祝いなどできようものか。不謹慎だ」と，その行動をなじりました。舞天は，「生き残った者が，元気を取りもどして沖縄を復興させることが，何よりの供養ではないか」と諭し，サンシンを奏でて，祝の歌をうたうのでした。

 沖縄戦による破壊はあまりにも大きすぎました。それでも，いつか復興への一歩を踏み出さなければなりません。舞天は，芸能の力で沖縄人のアイデンティティをめざめさせ，復興への一歩を踏み出させたのでした。

米軍支配下の沖縄

60▶ 沖縄戦がおわると，沖縄は米軍の支配下におかれました。沖縄の人びとは，この時代のことを何とよんでいたでしょうか。（　　）

  a．オランダ世　　 b．アメリカ世　　 c．ハイカラ世

61▷ 戦後，食糧難に苦しむ沖縄の人びとに，ハワイ移民からあるものが送られてきました。それは何でしょうか。（　　）

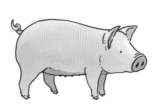

a．ブタ　　　　　　　b．七面鳥　　　　　　c．ポーク缶詰

62▷ 沖縄の人のなかには，米軍支配下での厳しい生活を生きぬくため，米軍の物資をぬすみだして日々の糧にする者もいました。彼らは，そのことを何といって正当化したのでしょうか。（　　）

a．借用　　　　　b．迷惑料　　　　　c．戦果

63▷ サンフランシスコ平和条約によって，沖縄が日本から分離されることになった1952年4月28日を，沖縄では何の日とよんでいたでしょうか。（　　）

a．屈辱の日　　　b．悲しみの日　　　c．亡国の日

64▷ 1952年4月1日，沖縄に設置された中央政府の名前は何でしょうか。（　　）

a．沖縄政府　　　b．琉球政府　　　c．うるま政府

65▷ 米軍は軍用地として取りあげた土地の代金を，一坪どのていどの借地料（年間）で契約しようとしたのでしょうか。（　　）

a．米一俵代　　　　b．みかん一箱代　　　c．コーラひと口ほど

66▶ 米軍は基地を拡大するため，「銃剣とブルドーザー」で強権的に住民の土地を奪いました。この理不尽な米軍の土地収用に対し，沖縄住民が取り組んだ闘争を何というでしょうか。（　　）

a．島ぐるみ闘争

b．日本復帰闘争

c．民族自決闘争

67▶ 1956 年，反米主義の瀬長亀次郎が那覇市長に当選すると，米国民政府は那覇市への補助金を打ち切りました。那覇市民は，この窮地をある方法できりぬけました。

何をしたのでしょうか。（　　）

a．そっせんして税金を納めた。

b．全国にカンパをつのった。

c．米国民政府にハンガーストライキで抵抗した。

68▶ 1957 年，米国大統領がもうけた沖縄における最高責任者を，何というでしょうか。（　　）

a．民政長官

b．軍政主席官

c．高等弁務官

69 1958 年，夏の甲子園大会（全国高等学校野球選手権大会）に，沖縄から
はじめて首里高校が参加しました。福井県代表の敦賀高校に敗れはしたも
のの，県民に大きな感動をあたえてくれました。

　ところが，選手たちが沖縄にもどってくると，思い出として持ち帰った
あるものが，法律にふれるとして没収されてしまいました。

　彼らが持ち帰ったあるものとは，何だったでしょうか。（　　　）

ａ．日の丸の旗

ｂ．甲子園の土

ｃ．彼らの活躍を報じる新聞

70 右のナンバープレートは，米軍支配時代の
アメリカ軍専用車輌のものです。

　下に書かれている KEYSTONE OF
THE　PACIFIC の意味を書いてください。
（　　　　　　　　　）

（沖縄県立博物館・美術館提供）

71 1962 年，ソ連（現・ロシア）がキューバにミサイル基地を建設したことで，
米ソが激しく対立しました（キューバ危機）。そのさなか，沖縄の米軍基
地にある「命令」が出されました。さいわい，これは「誤命令」だったこ
とがわかり，事なきをえました。

　いったいどのような「命令」が出されていたのでしょうか。（　　　）

ａ．核ミサイルの発射命令。

ｂ．ソ連機の撃墜命令。

ｃ．ソ連艦船の撃退命令。

ケネディ
キューバ危機
フルシチョフ

72▶ 1963年2月のことです。那覇市泉崎橋前の1号線（現・国道58号）で，那覇航空隊方面から走ってきた米軍の大型トラックが，赤信号にもかかわらず横断歩道につっこみ，男子中学生をひき殺してしまいました。

　ところが三カ月後，加害者の米兵に下された判決は，「ノット，ギルティ」（無罪）でした。アメリカの軍法会議は，米兵の言い分を受けいれたのです。この米兵は，軍法会議で何を主張したのでしょうか。（　　）

　　a．ブレーキが故障していたので，止まることができなかった。

　　b．夕日がまわりの建物に反射し，信号がよく見えなかった。

　　c．わたしは，沖縄戦で勇敢に戦った兵士である。

73▶ 1965年4月28日の『琉球新報』夕刊に，「4．28沖縄デー」の北緯27度線上で開かれた本土と沖縄の人たちによる「海上集会」の写真が掲載されました。

　当時，まだ写真電送機がなかったため，とても車では夕刊に間に合いません。どんな方法で本社までフィルムを運んだのでしょうか。（　　）

　　a．ハトを利用して運んだ。

　　b．ヘリコプターで運んだ。

　　c．海上タクシーで運んだ。

74 1965 年，インドシナ半島で米軍が軍事介入した戦争を，何というでしょうか。（　　）

　　a．ベトナム戦争　　　b．カンボジア戦争　　　c．ラオス戦争

75 1965 年 8 月，沖縄を訪れた佐藤栄作首相は，復帰に関する重要な発言をしました。何と言ったのでしょうか。（　　　）

　　a．沖縄が復帰しない限り，日本の戦
　　　後はおわらない。
　　b．基地が撤去されたら，沖縄はただ
　　　ちにイモとはだしの経済にもどる。
　　c．沖縄は基地との共存を考えるべき
　　　である。

76 1969 年，佐藤首相とニクソン米国大統領の会談で，沖縄の日本返還が決まりました。沖縄住民はどのような日本復帰を望んでいたのでしょうか。

　　　　　　　　　　　　　　　　　　　　　　　　　　　　　　　　（　　　）

　　a．基地の整理 縮 小と日米地位 協 定の見直し
　　b．核抜き，本土並み，72 年返還
　　c．即時・無 条 件・全面返還

77 1970 年 12 月 19 日夜 11 時過ぎ，コザ市（現・沖縄市）で米兵が道路横断中の軍雇用員をひいてケガをおわせる事故をおこしました。
　　現場周辺にいた群衆から，事故処理にあたっていたMP（米軍憲兵）に不当なとり調べをしないよう抗議の声がなげかけられました。
　　ところが事故処理後，MPが群衆に対して威嚇発砲したため，これに怒った人びとがMPカーや米軍車両をひっくりかえし，つぎつぎと火をつけて燃やしだしたのです。
　　基地の町コザでおこった事件は，日ごろ米軍に従順と思われた人びとが中心となっていただけに，米軍に大きなショックをあたえました。
　　ところで，群集はなぜ米軍車両を選び出すことができたのでしょうか。

　　　　　　　　　　　　　　　　　　　　　　　　　　　　　　　　（　　　）

　a．米軍車両のナンバープレートは，黄色だったから。

　b．米軍車両は，左ハンドルだったから。

　c．米軍車両のナンバープレートには，☆印がついていたから。

78 次の切手は琉球政府時代に発行された最後の切手です。（1），（2）の設問に答えてください。

（1）図案になった焼き物は，何とよばれる陶器でしょうか。（　）

　a．ユシビン　b．ダチビン　c．カラカラ

（2）この陶器は，何に使われるものでしょうか。（　　）

　a．琉球生け花用の花器で，たいせつなお客を招くときに用いられる。

　b．観賞用の陶器で，現在でも床の間の装飾品として置かれている。

　c．泡盛を入れる容器で，お祝いのお酒を贈るさいに使用した。

※切手の上部に記された「Final Issue」は最終発行の意味。

ナカユクイ　**ウルトラマンを創った男・金城哲夫(1938〜1976)**

　1961年，東京で大学を出た哲夫は，シナリオライターをめざし『ゴジラ』で有名な円谷プロダクションにはいりしました。1966年には，企画文芸部長としてウルトラシリーズをまかされました。最初の『ウルトラQ』は，毎回30パーセント前後の視聴率をマークする人気番組となりました。

　つぎに企画された『ウルトラマン』への期待は大きく，第一話は有名な作家が手がけました。しかし，もりあがりに欠けおもしろみがありません。けっきょく，哲夫が全面的に書きなおすことになりました。主人公は地球上の悪を退治するために，M78星雲からやってきた宇宙人です。沖縄には昔から，ニライ・カナイの遠い世界から幸せをもたらす神がやってくるという言い伝えがあります。それがウルトラマン誕生のヒントになったのです。

『ウルトラマン』は放送開始とともに子ども達のヒーローとなり，毎週40パーセント近い視聴率をあげる記録的な番組になりました。哲夫を中心に，若いスタッフは精力的にウルトラマンの活躍を描き続けました。でも，高視聴率をずっと維持することはできません。哲夫の書いた第39話の『さらばウルトラマン』が最終回となりました。

　半年後に放送された『ウルトラセブン』で哲夫はメインライターをつとめ，その後も怪獣をテーマにした物語を数多く制作しました。

　ところで，「ウルトラマン」シリーズの怪獣には，チブル（頭）星人やザンパ（残波）星人など，沖縄的な名前の怪獣も登場します。制作にかかわった哲夫や，同僚の上原正三が沖縄出身だったことに由来するといわれています。

　1969年，哲夫は円谷プロを退社して，家族とともに沖縄に帰ることにしました。理由は色々ありましたが，沖縄の日本復帰を自分の目で見とどけ，作家として沖縄を描きたいと思うようになっていたからでした。それはまた，怪獣や宇宙人ではなく，人間そのものをテーマにするという哲夫の課題でもありました。

　沖縄ではラジオやテレビのキャスターとして活躍しましたが，沖縄をテーマにした小説はなかなか書けません。「長いあいだ，本土で暮らしてきたせいなのか。ぼくは沖縄の何を書けばいいのだ」。しだいに自分自身にいらだつようになりました。そして1976年2月，こころざしなかばで不慮の転落事故でなくなったのです。37歳の若さでした。

復帰後の沖縄

79▶ 沖縄が日本に復帰した，年月日を書いてください。
（　　　年　　　月　　　日）

80▶ 沖縄が復帰したときの知事は，だれでしょうか。（　　　）

　a．喜屋武真栄

　b．屋良朝苗

　c．西銘順治

81▶ 沖縄の日本復帰を記念して，おくれた沖縄の社会基盤（しゃかい きばん せいび）を整備することをおもなねらいとした三大事業が実施（じっし）されました。次のなかで，三大事業として正しいものはどれでしょうか。（　　）

　　a．サミット・黒潮国体（くろしおこくたい）・世界のウチナーンチュ大会
　　b．植樹祭（しょくじゅさい）・若夏国体（わかなつこくたい）・国際海洋博覧会（こくさいかいようはくらんかい）
　　c．大綱引（おおつなひ）き・海邦国体（かいほうこくたい）・万国津梁祭（ばんこくしんりょうさい）

82▶ 1978 年に交通方法が変更（へんこう）されました。何が変わったのでしょうか。（　　）

　　a．車の通行が，右から左へかわった。

　　b．スピードが，無制限（むせいげん）から制限制度（せいげんせいど）にかわった。

　　c．信号の赤と青の位置が，入れかわった。

83▶ 1995 年 6 月 23 日，沖縄の歴史と風土の中で培（つちか）われた「平和のこころ」を広く内外にのべ伝え，世界の恒久平和（こうきゅうへいわ）を願い，国籍（こくせき）や軍人，民間人の区別なく，沖縄戦などでなくなられたすべての人びとの氏名を刻（きざ）んだ記念碑（きねんひ）が建立（こんりゅう）されました。
　　その名称（めいしょう）を書いてください。

名称（めいしょう）：（　　　　　　　　　　　　）

84▶ 1995 年 9 月，沖縄ではある事件をきっかけに，「日米地位協定（にちべいちいきょうてい）の見直（みなお）しと基地（きち）の整理（せいり）・縮小（しゅくしょう）」を求める運動が一気に盛（も）りあがりました。何があったのでしょうか。（　　）

　　a．米兵 3 人による少女暴行事件（ぼうこうじけん）
　　b．元（もと）・海兵隊員（かいへいたいいん）による会社員女性の暴行殺人事件（ぼうこうさつじんじけん）
　　c．名護市安部（あぶ）の海岸へのオスプレイ墜落事件（ついらく）

85▶ 1996年9月8日，「日米地位協定の見直しと基地の整理・縮小を求める県民投票」が行われました。その結果として，正しいのはどれでしょうか。（　　）

　　　　a．全有権者の過半数が賛成票を投じた。
　　　　b．全有権者の過半数が反対票を投じた。
　　　　c．賛成票と反対票は，ほぼ同数であった。

86▶ 2000年，沖縄で国際的な会議が開かれました。それは何でしょうか。（　　）

　　　　a．ILO総会　　　b．九州・沖縄サミット　　　c．国際環境会議

87▶ 2012年，甲子園の全国高校野球大会で，県勢初の春・夏連覇をはたした高校はどこでしょうか。（　　）

　　　　a．沖縄尚学高校

　　　　b．沖縄水産高校

　　　　c．興南高校

88▶ 2019年2月に行われた，名護市辺野古の米軍基地建設にともなう埋め立ての賛否を問う県民投票の結果として，正しいものはどれでしょうか。（　　）

　　　　a．辺野古の埋め立てに「賛成」が約72％
　　　　b．辺野古の埋め立てに「反対」が約72％
　　　　c．辺野古の埋め立てに「どちらでもない」が約72％

10 沖縄の世界遺産について，知っておきたいこと

1 次のA～Ｉの世界遺産の名称を書いて，設問（1）～（12）にも答えてください。

A　名称：〔　　　　　　　　　　　　　　　　〕：那覇市首里

この城は，14世紀後半からおよそ500年にわたって，琉球王国の政治や文化の中心地でした。城内は，正殿，北殿，南殿および御庭からなる区域や，正殿背後に位置する王家の居住区，祭祀のための区域等が整然と整備されていました。琉球王国はここを拠点に，中国や朝鮮，日本，東南アジアとの間で活発な交易をくりひろげ，さまざまな文化を取りいれて独自の王国文化を形成したのです。

（1）この城の正殿に行くには，いくつもの門をくぐっていかなければなりません。次の空欄A・Bにあてはまる門を，語群から選んで書いてください。

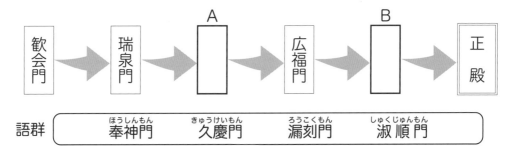

| 歓会門 | ➡ | 瑞泉門 | ➡ | A | ➡ | 広福門 | ➡ | B | ➡ | 正殿 |

語群　奉神門　久慶門　漏刻門　淑順門

（2）次の図は，首里城正殿の唐破風を描いたものですが，三つの間違いがあります。間違っているところに，〇でしるしをつけてください。

B　名称：〔　　　　　　　　　　〕：読谷村

　　この城は1420年代に有力な按司であった護佐丸によって築かれました。このグスクの役割は，今帰仁城が滅ぼされたあとの沖縄島中北部に残った，旧・北山勢力を監視することでした。築城にあたっては，奄美諸島の人夫も徴用し，もとの居城だった恩納の山田城を解体して手わたしで積み石を運ばせたと伝えられています。その後，護佐丸は勝連城の阿麻和利を牽制するために，中城城に移転しました。

（3）二の郭の城門は沖縄島に現存する，ある形式の最古の門です。それはどのような形の門でしょうか。（　　）

　　　　a．アーチ形　　　　b．やぐら形　　　　c．観音開き形

C　名称：〔　　　　　　　　　　〕：中城村・北中城村

　　この城は標高160㍍の高台にあり，東に中城湾，西に東シナ海をのぞむことができます。沖縄戦の被害も少なく，琉球石灰岩の石積みと，城を囲む石塁の美しい曲線は，ほぼ築城当時の姿を残しています。15世紀のはじめにはつくられていたと思われ，首里王府の命で座喜味城から移ってきた護佐丸によって拡張されました。1458年，護佐丸は勝連按司の阿麻和利に滅ぼされました。

（4）1853年，この地を訪れた外国の調査隊が，築城技術の高さを賞賛しています。どこの調査隊でしょうか。（　　）

　　　　a．イギリス艦隊　　　　b．アメリカ艦隊　　　　c．フランス艦隊

D　名称：〔　　　　　　　　　　　〕：うるま市

　　　　この城は1200年前後に作られ、阿麻和利のころに全盛をきわめました。城跡からは日本本土や奄美・中国・東南アジアなどの産物が出土しており、阿麻和利が交易で力をつけていたことがわかります。正史などによると、阿麻和利は1458年に中城城主・護佐丸を滅ぼし、王位につこうとした。しかし、妻の百度踏揚（尚泰久王の娘）と付き人の鬼大城にさとられ、王府軍の逆襲にあって滅んだ、ということです。そのことから、阿麻和利は極悪人として伝えられていますが、地元では偉人として慕われています。

（5）この城のある地を、大和のあるところにたとえたオモロがあります。どこにたとえているのでしょうか。（　　）

a．鎌倉

b．奈良

c．金沢

（6）2016年9月、うるま市教育委員会長は、この城跡の発掘調査でローマ帝国とオスマン帝国のあるものが出土したと発表しました。何が出てきたのでしょうか。（　　）

a．金杯

b．銀匙

c．銅貨

E　名称：〔　　　　　　　　　　〕：今帰仁村

　　この城は山北（北山）王の居城で，古生代石灰岩の険しい岩山に築かれています。延長1500㍍におよぶ城壁は，起伏に富んだ地形にそって美しい曲線を描いています。日本や中国とも交易をおこない，勢力の拡大をはかっていましたが，1416年に尚巴志の中山軍に滅ぼされました。落城後は，1665年まで首里王府から北山監守が派遣され，それ以後は祭祀をおこなう場所になりました。

（7）尚巴志に敗れた攀安知は，城の守護石を切りつけ，この刀で自害しようとしたが，主君を守る霊力が込められていたため死にきれず，志慶間川に投げすてた。これを見つけた人が王家に献上した，と伝えられています。この刀の名称は何でしょうか。（　　）
　　　a．千代金丸　　　b．治金丸　　　c．宝剣丸

F　名称：〔　　　　　　　　　　〕：南城市

　　この御嶽は琉球開闢の神アマミキヨがつくったとされ，琉球国の最高の聖域として位置づけられています。巨大な二枚岩の空間をくぐりぬけると，神の島とされる久高島がのぞめます。古くは男子禁制でした。王国の神女組織の最高位・（　　　　　　　）が就任する「御新下り」の儀式がおこなわれ，中央集権的な王権を信仰面，精神面から支える国家的な祭礼の場として重要な役割をはたしました。現在でも，東廻りの行事等で多くの人びとが参拝におとずれます。

（8）文中の空欄にあてはまる適語を選んで書いてください。（　　）
　　　a．大阿母　　　b．ノロ頭　　　c．聞得大君

G 名称：〔　　　　　　　　　　　　　〕：那覇市首里

　このお墓は，中央集権による王権を精神面からささえるため，第二尚氏王統の陵墓として第3代王の尚真が築きました。墓室は自然の岸壁を利用してつくられています。墓庭は内庭と外庭に分けられ，周囲は琉球石灰岩の石垣でかこわれています。

　墓室は三つに区分され，中室に洗骨までの遺骨を安置し，東室と西室に遺骨が納められました。墓の前庭には，この陵墓に納められる資格を記した石碑が建てられています。

（9）国王と王妃の遺骨は，どこに納められたでしょうか。（　　）

　　a．東室　　　　　　　b．西室

（10）この文化財は，2018年に国からある指定を受けました。それは何でしょうか。（　　）

　　a．特別陵墓　　　　b．国宝　　　　c．国定史跡

H 名称：〔　　　　　　　　　　　　　〕：那覇市首里

　この御嶽も尚真による創建で，竹富島出身のある人物が手がけたといわれています。琉球石灰岩をもちいた石門は神社でいう拝殿にあたり，屋根の飾りなどに日本と中国の様式が合わさった沖縄独特の建築物となっています。

　門の背後が御嶽で，国家祭事などのときに祈願しました。また，国王が城外へ赴くさいにも道中の無事を祈りました。女神官の最高位である聞得大君が斎場御嶽での「御新下り（就任式）」の儀式に出かける時も，ここで祈願しました。

（11）この文化財の建設にたずさわった，竹富島出身の人物とはだれでしょうか。（　　）

　　a．鬼虎　　　　　　b．赤鉢　　　　c．西塘

1　名称：〔　　　　　　　　　　　〕：那覇市真地

1799年に造営された王家の別邸です。首里城の南にあることから南苑ともよばれ，中国皇帝の使者である冊封使をもてなす場としても利用されました。

池を中心に，赤瓦の御殿建築，築山，果樹園，樹林が配置されています。池の中に小島をつくり，中国風の六角堂が建てられています。庭園のふちに作られた園路には高低差がつけられ，見る角度で景色の変化が楽しめるようになっています。園の南に位置する歓耕台は，南部地域が一望できる高台になっています。

国の特別名勝にも指定されています。

(12)歓耕台からのながめには，ある特徴があります。どのようなものでしょうか。（　　）

　a．首里城や那覇の夜景がとても美しく見える。
　b．海をのぞむことができないので，琉球の国土が広く感じられる。
　c．東の海からのぼる朝日と，西の海に沈む夕日を見ることができる。

2▶2021年6月に審査予定の世界自然遺産に推薦されているのは，「奄美大島・徳之島・沖縄島北部」及び何島でしょうか。（　　）

　a．久米島　　　　b．多良間島　　　　c．西表島

3▶次のなかで，日本遺産に認定されている組み合わせはどれでしょうか。
（　　）

　a．琉球料理・泡盛・芸能　　　　b．琉球舞踊・組踊・空手
　c．首里城・紅型・オモロ

（注）上記とストーリーを構成する浦添市と那覇市の29の文化財も認定。

4 次のなかで，ユネスコ無形文化遺産リストに登録されていないのはどれでしょうか。（　　）

ａ．八重山のアンガマ　　　ｂ．宮古島のパーントゥ　　　ｃ．組踊

5 次の地図の①〜⑨の空欄に，「琉球王国のグスク及び関連遺産群」にあてはまる記号を選んで書いてください。

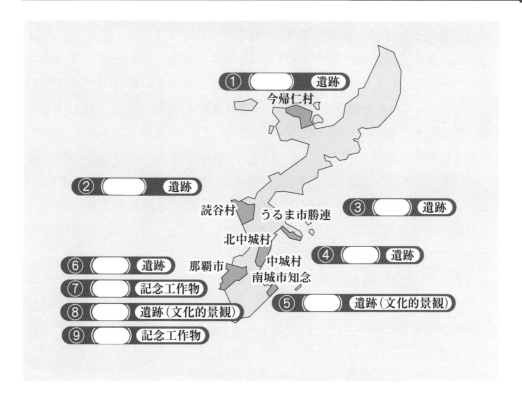

① ⬡ 遺跡　今帰仁村

② ⬡ 遺跡

③ ⬡ 遺跡

読谷村　うるま市勝連

北中城村

⑥ ⬡ 遺跡　那覇市　中城村　④ ⬡ 遺跡

⑦ ⬡ 記念工作物　南城市知念

⑧ ⬡ 遺跡（文化的景観）　⑤ ⬡ 遺跡（文化的景観）

⑨ ⬡ 記念工作物

語群

ａ．首里城跡　　ｂ．浦添城跡　　ｃ．中城城跡　　ｄ．勝連城跡

ｅ．座喜味城跡　　ｆ．今帰仁城跡　　ｇ．玉陵（タマウドゥン）　　ｈ．守礼門

ｉ．円覚寺　　ｊ．園比屋武御嶽（そのひゃんウタキ）　　ｋ．識名園（しきなえん）　　ｌ．斎場御嶽（セーファウタキ）

6 次の石積み方法の名称を，語群から選んで書いてください。

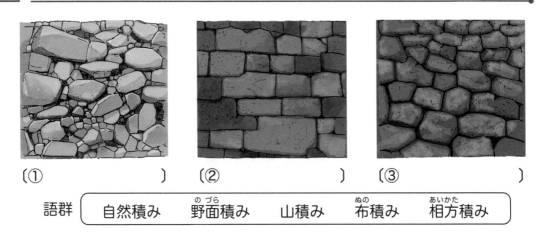

〔①　　　　　　　　　〕　〔②　　　　　　　　　〕　〔③　　　　　　　　　〕

語群　| 自然積み　　野面積み　　山積み　　布積み　　相方積み |

ナカユクイ　石積みの方法と北と南の石灰岩のちがいとは何だろうか

　琉球列島の島々では，隆起した石灰岩をよく見かけます。沖縄の人びとは，昔から身近にある石灰岩を，住宅，井戸，墓，橋，道路などに利用してきました。

　石の積み方にもいろいろあり，自然のままの石を積み上げた石垣を野面積みとよび，石を四角く切って布のように積み上げる方法を布積み，亀の甲羅のように五角形や六角形にして積み上げる方法を相方積み（または亀甲乱積み）とよびます。首里城をはじめ，ほとんどのグスクが布積みや相方積みのような切り石積みで築かれています。中国や朝鮮から伝わった技術を手本にして，つくられたと思われます。

　また，石材の石灰岩は，新旧の2種類あります。沖縄島中南部の石灰岩は，100万年以内に生成された比較的新しいもので，琉球石灰岩とよばれています。やわらかくて加工しやすいのが特徴です。

　北部の国頭村辺戸岬および本部半島の今帰仁層とよばれる地層に分布している灰色の石灰岩は，2億から2億5000万年前に堆積した古いもので，古生代石灰岩とよばれています。琉球石灰岩にくらべて石質が緻密で硬く，加工するには上質の金属器が必要とされます。今帰仁城の城郭の石垣が，中南部の城壁に見られるような亀甲積みや布積みではなく，ほとんど野面積みで形成されているのも，石質の硬い古生代石灰岩を利用しているからです。

1 琉球舞踊は，古典舞踊，民俗舞踊，雑踊，創作舞踊の四つに大別されます。次の琉球舞踊に関する説明を，a～dから選んでください。

①古典舞踊（　　　）　②民俗舞踊（　　　）　③雑踊（　　　）　④創作舞踊（　　　）

a．戦後生まれた各流派によって様々な工夫がこらされ，現代的要素を取り入れた舞踊がさかんに作られている。

b．沖縄諸島の農漁村でおこなわれるシヌグ・ウンジャミ祭などで踊られるウシデークや盆踊りにあたるエイサー，宮古諸島で雨乞や豊年祭で踊られるクイチャー，八重山諸島の豊年祭で踊られる巻踊りなどがある。

c．老人踊・若衆踊・女踊・二才踊・打組踊の五つに分類。「かぎやで風」は，長寿と子孫繁栄を願う老人踊で，現在でも結婚披露宴などの座開きには欠かせない演目となっている。

d．沖縄芝居からできた舞踊で，古典舞踊と民俗舞踊のそうほうをもとにしながら，身のこなしやリズムに工夫がこらされているのが特徴。代表的な踊りに「花風」や「加那よー天川」がある。

2 14世紀末ごろに中国から三線が伝わりました。三線を使った古典音楽をはじめたのは，オモロ歌唱者のアカインコだといわれていますが，17世紀なかばごろに，その基礎を確立したのはだれでしょうか。（　　　）

a．湛水親方　　　b．照喜名聞覚　　　c．知念績高

3 ▷ 三線音楽の楽譜のことを，何というでしょうか。（　　）

　　a．工工四　　　b．工四工　　　c．四工工

4 ▷ 次のなかで，琉球音階といわれるのはどれでしょうか。（　　）

　　a．ド・レ・ファ・ソ・ラ・ド
　　b．ド・ミ・ファ・ソ・シ・ド
　　c．ド・レ・ミ・ソ・ラ・ド

5 ▷ 組踊について，それぞれの問いに答えてください。

（1）組踊をはじめて創った人物は，だれでしょうか。（　　）
　　a．高宮城親雲上　　b．田里朝直　　c．玉城朝薫
（2）次のなかで，（1）の組踊五番に含まれないのはどれでしょうか。（　　）
　　a．「孝行の巻」　b．「執心鐘入」　c．「銘刈子」
　　d．「女物狂」　e．「万歳敵討」
（3）役者のことを，何というでしょうか。（　　）
　　a．演者　　b．立方　　c．俳優
（4）楽器を演奏して歌をうたう人のことを，何というでしょうか。（　　）
　　a．地謡　　　b．奏楽人　　c．演歌者
（5）平敷屋朝敏がつくったとされる，組踊で唯一の恋愛作品といわれているも
　　のは，どれでしょうか。（　　）
　　a．「手水の縁」　　b．「花売の縁」　　c．「孝行の巻」

6 ▷ 組踊について，〇×で答えてください。

（1）組踊は，日本芸能の能楽や歌舞伎などの影響
　　をうけてつくられたもので，歌・踊り・唱え（せ
　　りふ）が組み合わさった総合芸術である。
　　　　　　　　　　　　　　　　（　　）
（2）組踊は「江戸立（江戸上り）」の際に，芸能立
　　国を強調するためにつくられた琉球独自の歌
　　舞劇である。（　　）
（3）組踊は「チチガイチュン（聞きに行く）」とい
　　うように，歌が重要視されている。（　　）
（4）組踊の舞台は，必ず三幕で演じられるように構成されている。（　　）
（5）組踊では，役者が楽器を演奏したり歌ったりすることはない。（　　）

7 組踊の演奏は，次の五つの楽器でおこないます。それぞれの名前を書いて
ください。

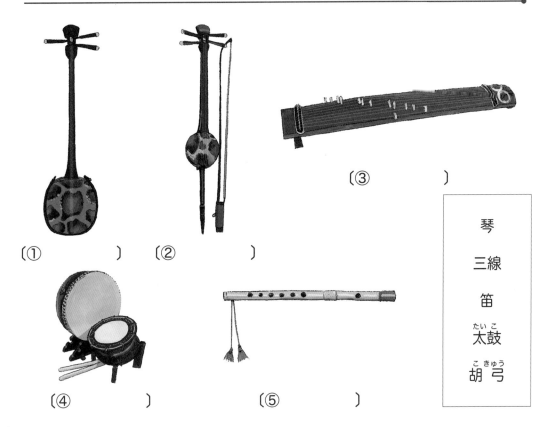

〔③　　　　　〕

```
琴

三線

　笛

太鼓
たい こ

胡弓
こ きゅう
```

〔①　　　　〕　〔②　　　　　〕

〔④　　　　　〕　〔⑤　　　　　〕

8 次の沖縄の伝統文化について、設問に答えてください。

（1）沖縄の古い風俗である，男性
のマゲと女性の手の入墨の名
称を書いてください。

a（　　　　　）　b（　　　　　）

（2）次の図は中国から伝えられた神像で，五穀豊
穣と子孫繁栄の神とされています。この像の
ことを何というでしょうか。（　　）

a．土帝君
　　トーテークン
b．孔子像
　　こう し ぞう
c．媽祖像
　　ま そ ぞう

（3）弁当など食べ物を持ち運びするときに，腐らないよう厄除けとしてそえる，チガヤなどの細い葉を小さく輪結びにしたものを，何というでしょうか。（　　）

　　a．フダ　　b．マムイ　　c．サン

（4）琉球の一般庶民が，田畑の収穫高を計算したり，割り当てられた租税高を記録したりした計算方法を，何というでしょうか。（　　）

　　a．スーチューマ　　b．ワラザン　　c．サンミン

9　次の図は伝統的な民家の見取り図です。空欄にあてはまる名称を，語群から選んで書いてください。

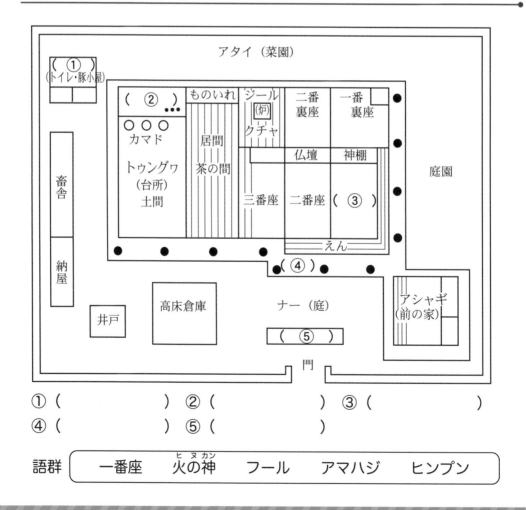

①（　　　　　　　）②（　　　　　　　　　）③（　　　　　　　　　）
④（　　　　　　　）⑤（　　　　　　　　）

語群　┃　一番座　　火の神（ヒヌカン）　　フール　　アマハジ　　ヒンプン　┃

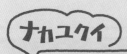 石敢當やシーサーには,
どういう意味があるのでしょうか

沖縄では道路の大きさに関係なく,丁字路のつきあたりに「石敢當」と書いた石柱をたてたり,塀に石板をはりつけたりする習慣があります。なかには,中国五岳の第一の名山・泰山に由来するといわれる「泰山石敢當」と書いたものもあります。

石敢當をたてる風俗は,8世紀ごろ中国の福建省ではじまったといわれています。沖縄には,15世紀なかばごろに魔よけ・厄返しとして伝わり,16世紀末に日本本土に広まりました。石に対する信仰が起源だといわれていますが,沖縄では祈願の対象にはなっていません。中国東南部地方の農村でも「泰山石敢當」がたてられていますが,やはり祈願の対象にはなっていません。

沖縄の民家の屋根や公共の建築物には,魔よけや悪霊返し・火除け(火返し)としてシーサーが据えられています。獅子を魔よけ・守護神とする習俗は古代オリエントが起源で,紀元前2世紀ごろに中国に伝わったといわれています。

琉球へは15世紀ごろ伝えられ,寺社の門前・城門・墓,村落の入口などに据えられました。明治期に瓦葺の建築がさかんになると,屋根の上に据えられるようになりました。沖縄の民間にこのような風習が広がったのは,戦後のことです。近年はコンクリート建ての住宅が多くなり,門柱の両脇に阿吽の一対の獅子を置くようになりました。石敢當と同様に,祈願の対象にはなっていません[注]。

(注) 村落の祭祀目的で作られた獅子像もあります。八重瀬町の富盛では火除け(火返し)として石彫大獅子を設置し,旧暦10月1日に防火儀礼の行事をおこなっています。

次の問いに〇×で答えてください。

（1）竹富島のミンサー織にほどこされた五と四のデザインには，五（いつ）の，四（世）までも，仲睦まじく私の事を愛してください，との意味が込められている。（　　　）

（2）琉球ガラスの特徴は，色彩があざやかで温もりがあり，様々な創意工夫がなされていることにある。戦後は，米軍関係者の関心をひくため，ガラスの中に泡を取り込む高度な技術が開発された。（　　　）

（3）壺屋焼は，釉薬，絵つけをほどこした綾焼きと，釉薬をほどこしていない地焼きに大別できる。古くは水甕や酒甕などの地焼きが主流であったが，戦後は食器や花器などの綾焼きが中心になった。（　　　）

（4）紅型は，朱や黄・藍・紫・緑を基調にした色あざやかな染め物で，王族・士族の衣装として，王府の保護の下で発展した。その名称である「紅」とは色全般をさし，「型」は様々な模様を意味する。（　　　）

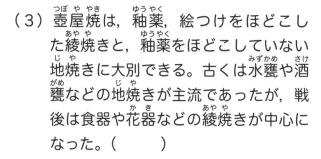

（5）琉球漆器は，ヤンバルの山地で大量に産する漆と，宮古・八重山諸島の深海でとれるタカラガイを利用して作製された。特に漆は，湿度が高くないと固まらないため，漆器づくりは高温多湿の沖縄の気候に最適であった。（　　　）

©OCVB

1 次の近世期に著された書籍と関係のある文を，線でむすんでください。

〔書籍名〕　　　　　　　　　　　　　　　〔書籍の内容〕

『球陽』　a・

・ア　1650年，羽地朝秀が編集した琉球最初の歴史書。日本人と琉球人の祖先は同じだという「日琉同祖」が根幹となっている。

『六諭衍義』　b・

・イ　1701年に蔡鐸が『中山世鑑』を漢文に訳したもので，1726年に蔡温によってあらためられた。薩摩との関係は別冊。

『中山世鑑』　c・

・ウ　王府の正史。琉球各地でおこった出来事を記録。外巻は伝説や昔ばなしをまとめた『遺老説伝』。

『琉球国由来記』　d・

・エ　1786年に琉球固有の法律と，日本・中国の刑法を参考に日本文で記述。1831年に追加法典として『新集科律』を編集。

『混効験集』　e・

・オ　古琉球の人々の祈りや感情をおおらかに表現した叙事的歌謡を，王府が16世紀以降に収集して編集。

『おもろさうし』　f・

・カ　名護親方（程順則）が中国からもち帰った道徳の本。のちに荻生徂徠や室鳩巣らによって日本語に訳され，寺子屋の教科書として全国に広まった。

『中山世譜』　g・

・キ　尚敬を冊封するために中国から派遣された徐葆光（副使）の著した冊封使録。

『中山伝信録』　h・

・ク　1711年にまとめられた琉球の古語辞典。

『琉球科律』　i・

・ケ　王府が編集した最古の地誌。王城の公式行事や官職制度のほか，各地の由来を記す。

2 近代沖縄を知るうえで重要な本と，その作者を線でむすんでください。

『古琉球』 a・　　　・ア　太田朝敷

『沖縄一千年史』 b・　　　・イ　伊波普猷

『南島風土記』 c・　　　・ウ　真境名安興

『沖縄県政五十年』 e・　　　・エ　東恩納寛惇

ナカユクイ

幻の女性作家・久志芙沙子(1903～1986)
～差別をもたらす社会を批判～

　久志芙沙子（本名はツル）は，首里の名家にうまれました。

　文学少女だった芙沙子は，女学校を卒業したあと小学校の教師になりましたが，結婚を機に台湾をへて本土へわたりました。しかし，幸せな日々は長くはつづきませんでした。

　東京で暮らすことになった芙沙子は，いつしか作家を志すようになり，コツコツと作品を書き続けました。そして29歳の時，雑誌『婦人公論』に投稿した作品が採用され，同誌に掲載（1932年6月号）されることになったのです。

　内容は，東京で暮らす沖縄の女性が，本土で沖縄出身であることを隠して出世した伯父の姿を，当時の悲惨な沖縄社会のようすとともに批判的に描いたものでした。この小説は，『滅びゆく琉球女の手記』と題して掲載されました。読者の注目を引くために編集者がかってに題名を変えたのでした。芙沙子は何となくいやな気がしました。

　案のじょう，雑誌発刊後，東京在住の沖縄県学生会からきびしい批判をうけました。その理由は，「沖縄のことを洗いざらい書きたてられると迷惑である。アイヌや朝鮮人と同一視されるのもこまる。謝罪しろ」というものでした。

　芙沙子は悩んだあげく，次のような釈明文を書きました。「私は沖縄のことをあしざまに書いたつもりはありません。沖縄文化に無理解な人に媚びへつらい自分自身まで卑屈になる必要はないと思います。また，アイヌや他民族を差別する心のほうがゆがんでいると思います。むしろ，そんな差別をもたらす社会に対し，正々堂々とぶつかっていったらどうでしょうか」。

　当時はこのような考えを持つ者は少数で，しかも女性の視点から堂々と沖縄の風俗習慣を論じ，これを差別的にみる社会を批判することは大変勇気のいることでした。芙沙子は自分の考えをきちんと伝えたあと，しだいに文学の世界から遠ざかっていきました。

　芙沙子の主張は，時代とともに重みをまし，沖縄人（ウチナーンチュ）がみずらの文化にほこりをもって生きてゆくことの大切さを教えてくれました。

3 沖縄から４人の芥川 賞 作家がでています。それぞれの作家と作品を線で
むすんでください。

大城立裕　a・　　　・ア 『オキナワの少年』(1972 年)
東 峰夫　b・　　　・イ 『水滴』(1997 年)
又吉栄喜　c・　　　・ウ 『カクテル・パーティ』(1967 年)
目取真 俊　d・　　　・エ 『豚の報い』(1996 年)

> **ナカユクイ**
> 沖縄の少年・少女に読んでもらいたい沖縄の本
> (絵本から小説まで)です。
> おもしろそうな作品を選んで読んでみましょう。

① 『ふなひき太良』(儀間比呂志・作・絵)：大男の太郎は，いつも大飯を食らっ
て寝てばかり。しかし，ある飢饉のときに村人のために立ち上がる。

② 『オジィの海』(尚子 ・作 / 優佳 ・絵)：沖縄戦の悲惨さとともに，赦すことの
大切さも教えてくれる絵本。

③ 『萌えろ! ガジュマル』(久手堅憲俊・作 / 絵・田代三善)：疎開船「対馬丸」
から生還した少年が，戦争の惨禍から力強く立ち上がる物語。

④ 『しっぽをなくしたイルカ』(岩貞るみこ・作 / 加藤文雄 ・写真)：尾びれをなく
した沖縄美ら海水族館のイルカ，フジ。まったく泳がなくなったフジに，人口
尾びれで泳ぎをとりもどさせる物語。

⑤ 『太陽の子』(灰谷健次郎 ・作)：戦後 30 年の神戸市が舞台。沖縄出身の両親
を持つ小学 6 年生の「ふうちゃん」が，父の心の病をきっかけに沖縄の問題に
むきあう。

⑥ 『夕陽の証言』(新城俊昭・作)：米兵が信号無視で少年をひき殺しても無罪に
なる沖縄。米軍支配下の沖縄を少年の目で描いた作品集。

⑦ 『ぼくは，いつでもぼくだった。』(いっこく堂・作 / 中村景児・絵)
：腹話術師・いっこく堂さんの自伝。

⑧ 『テンペスト』(池上永一・作)：琉球王国末期の首里城を舞台に，美貌と知性
あふれる少女が性を偽って役人となり，次々とおこる難題に立ち向かう。ファ
ンタジー歴史小説。

⑨ 『ヤンキーと地元』(打越正行・作)：解体屋，風俗経営者，闇 業 者になった
沖縄の若者たち。10 年にわたる社会学者の記録。

⑩ 『菜の花の沖縄日記』(坂本菜の花・作)：石川県出身の少女が，沖縄で過ごし
た 3 年間をまとめた本。

1▷ 全国どこへ行っても，その地域特有の地名があってなかなか読めないものです。特に沖縄は，本土の他の地域とは異なる歴史と文化をもっているので，地名にも「へえ，そういう読み方をするんだ」という，めずらしい名称がたくさんあります。さて，次にあげた沖縄の地名をいくつ読めるか，チャレンジしてみてください。

乙羽岳 ①_____
(今帰仁村)

大 保 ②_____
(大宜味村)

鏡 地 ③_____
(国頭村)

落 平 ④_____
(那覇市)

沢 岻 ⑤_____
(浦添市)

大 当 ⑥_____
(読谷村)

汀 良 ⑦_____
(那覇市首里)

小 谷 ⑧_____
(南城市佐敷)

西 洲 ⑨_____
(浦添市)

水 納 ⑩_____
(本部町・多良間村)

私が見つけためずらしい地名

⑪_____(   )   ⑫_____(   )

2▷ 写真のバス停留所の地名の読み方を書いてください。

仲順（   ）

為又（   ）

保栄茂（   ）

勢理客（   ）

3 地名と同様，沖縄には独特な名字 (姓) がたくさんあります。次にあげた名字の読み方を書いてください。

仲村渠 ①＿＿＿＿＿＿＿＿＿＿＿　　東恩納 ②＿＿＿＿＿＿＿＿＿＿＿

照喜名 ③＿＿＿＿＿＿＿＿＿＿＿　　伊　禮 ④＿＿＿＿＿＿＿＿＿＿＿

大工廻 ⑤＿＿＿＿＿＿＿＿＿＿＿　　丑　番 ⑥＿＿＿＿＿＿＿＿＿＿＿

羿宮城 ⑦＿＿＿＿＿＿＿＿＿＿＿　　洲　鎌 ⑧＿＿＿＿＿＿＿＿＿＿＿

根路銘 ⑨＿＿＿＿＿＿＿＿＿＿＿　　平安名 ⑩＿＿＿＿＿＿＿＿＿＿＿

4 戦前の学校では，沖縄的な名字 (姓) を本土風にあらためたり，読みかえたりすることを奨励していました。それが現在にもひきつがれています。次の名字がどのようにあらためられたり，読みかえられたりしたのか書いてください。

〔改姓〕

島　袋 ①＿＿＿＿・＿＿＿＿＿＿

安慶名 ②＿＿＿＿＿＿＿＿＿＿＿

小橋川 ③＿＿＿＿＿＿＿＿＿＿＿

平安山 ④＿＿＿＿＿＿＿＿＿＿＿

髙江洲 ⑤＿＿＿＿＿＿＿＿＿＿＿

〔読み替え〕

津嘉山 （チカザン） ⑥＿＿＿＿＿＿＿＿＿

比屋根 （ヒヤゴン） ⑦＿＿＿＿＿＿＿＿＿

安次富 （アシブ） ⑧＿＿＿＿＿＿＿＿＿

西　平 （ニシンダ） ⑨＿＿＿＿＿＿＿＿＿

友　寄 （トゥムシ） ⑩＿＿＿＿＿＿＿＿＿

5 沖縄の名字 (姓) には，同じ読みで漢字２字と３字があります。次の２字姓を，例にならって３字姓で書いてください。

（例）新城ー安良城

新垣ー①＿＿＿＿＿＿＿＿＿＿＿　　船越ー②＿＿＿＿＿＿＿＿＿＿＿

上原ー③＿＿＿＿＿＿＿＿＿＿＿　　仲山ー④＿＿＿＿＿＿＿＿＿＿＿

前原ー⑤＿＿＿＿＿＿＿＿＿＿＿　　前城ー⑥＿＿＿＿＿＿＿＿＿＿＿

6 沖縄で最も多い名字 (姓) のベスト３を，語群から選んで書いてください。

１位 (　　　　　)　　２位 (　　　　　)　　３位 (　　　　　)

語群　｜　金城　　大城　　宮城　　比嘉　　上原　　平良　　石垣　｜

名前が三つあった琉球の士(サムレー)階層
ナカユクイ ～王府時代の名字(姓)はどのようにつけられたのでしょうか～

　近世琉球の支配層は士(サムレー)とよばれ，琉球名のジラー，タルーなどの童名と，唐名とよばれた中国名，そして和名(日本名)の三つを持っていました。

　唐名の姓(氏)には，向・毛・馬・麻・呉などがあり，門中(一族)を示しました。

　和名(日本名)の名字は家名とよばれ，あたえられた領地の地名であらわされました。ただし，領地がえになると家名も変わったので，親子・兄弟でも家名が異なる場合がありました。そのため，名前には門中共通の名乗頭(名前の最初の文字)を定め，これを門中の証としました。たとえば，向姓の名乗頭の文字は「朝」となっているので，羽地朝秀や玉城朝薫の場合は，家名は異なっていても「向」門中だということがわかります。また，名前を表記する際は，家名と名の間に位階(身分の序列)を入れて，羽地按司朝秀，玉城親方朝薫と記しました。

　士階層は，本家・分家で代々の生没・業績を記した家譜(系図)を作成しました。その際，姓も名乗りもない先祖にも姓名をつけました。家譜の作成にあたっては，各門中に関する辞令書や役所の記録文書などで履歴事実を証明しなければなりませんでした。

　子どもの出生は誕生後七日以内の届出が義務づけられ，その証文をもとに記載がゆるされました。役職に関する記載も当該役所の証明が必要であり，家譜作成にはかなり厳しい条件が課せられていました。

3つの名前：玉城朝薫の場合

童名（琉球名）	思五郎(ウミグルー)
唐名（中国名）	向受祐(しょうじゅゆう)
和名（日本名）	玉城朝薫＝玉城親方朝薫（たまぐすくウェーカタちょうくん）

※共通点として，門中が向で，名乗り頭の文字が朝となっていることがわかります。

ナカユクイ もう一つの疑問。なぜ向を「しょう」と読むのでしょうか。

　向は音読みで「こう」と発音します。しかし，王府の姓は「しょう」と読みます。向姓は王家の一族で，本来は王家の姓である「尚」を名のるべきですが，それでは恐れ多いということで，1712年に尚の画数をへらして「向」にしたのです。ですから，向と書いて「しょう」と読むのです。

14 琉球・沖縄の人物について，知っておきたいこと

1 次の「琉球の五偉人」といわれている人物と，関係ある文を線でむすんでください。

〔偉人名〕　　　　　　　　　　　　〔偉人の説明〕

羽地朝秀　a・

・ア　琉球国末期の政治家。1872年に維新慶賀使として上京し，「尚泰を藩王に封ず」の命を受けて帰国。「琉球処分」の断行で反対派から厳しく糾弾される。

蔡温　b・

・イ　薩摩支配下で，古琉球から近世琉球への政治転換をはかる。琉球最初の歴史書『中山世鑑』を編集し，琉球人と日本人の先祖は同じだとする「日琉同祖」を説く。

程順則　c・

・ウ　野國總管が中国から持ち帰ったサツマイモを普及させる。また，製糖技術や木綿織を伝え産業の恩人とたたえられる。

儀間真常　d・

・エ　三司官として近世琉球の農村支配制度を確立。儒教思想を説いた『御教条』や農業の手引書『農務帳』を各村に配布したり，自らも河川工事をそっせんして指導した。

宜湾朝保　e・

・オ　琉球を代表する教育者。中国から持ち帰った道徳の本『六諭衍義』は本土にも伝えられ，室鳩巣・荻生徂徠によって和訳本・訓点本が出版された。いずれも寺子屋などで庶民教育の教科書として使われた。

※伊波普猷と真境名安興の共著『琉球の五偉人』に記された人物です。日本と中国への二重朝貢国として翻弄された，小国「琉球」の政治・産業・学問の分野で活躍した人物として位置づけられています。薩摩の支配や「琉球処分」に批判的な人物がとりあげられていないことから，近代期の伊波・真境名らの歴史観が反映されていることがわかります。

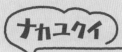

ナカユクイ　蔡温(さいおん)(1682～1761)　～若き日の苦悩(くのう)～

　王府時代の最も優(すぐ)れた政治家といえば，すぐに思いうかぶのが蔡温(さいおん)です。蔡温(さいおん)は，察度王統時代(さっとおうとう)に中国からやってきた三十六姓(さんじゅうろくせい)の流れを汲む名門の家に生まれました。

　若いころ中国に留学(りゅうがく)して儒教(じゅきょう)や政治実学などを学び，高級役人としての教養(きょうよう)を身につけました。王府に仕(つか)えるようになると尚敬王に重くもちいられ，三司官(さんしかん)の位(くらい)までのぼりつめました。しかし，そんな琉球史の偉人(いじん)も，少年時代は自由奔放(ほんぽう)な性格だったらしく，自叙伝(じじょでん)のなかで次のような興味深(きょうみぶか)いエピソードを記しています。

　「わたしの両親が結婚したのは，父17歳，母16歳の時でした。母が20歳の時に女の子がうまれましたが，家を継(つ)ぐ男の子がなかなかうまれませんでした。母はみずから東風平の志多伯(こちんだしたはく)に足を運び，玉津(タマチー)という女性を妾(めかけ)として迎(むか)えいれました。

　父が37歳の時，玉津(タナチー)は男の子を出産しました。それが，わたしの兄で童名(ドーナー)をジラーといいます。ところが，その2年後に本妻(ほんさい)である母は，わたしを産んだのです。童名は蒲戸(カマドゥー)と名づけられました。兄のジラーは大変かしこく，勉強がよくできました。しかし，弟のわたしは勉学にまったく興味(きょうみ)がもてず，遊びほうけてばかりいました。

　わたしが16歳の八月十五夜のことです。久米村(くめむら)の大門(ウフジョウ)の前で友人たちと月をめでながら遊んでいました。その時，家格(かかく)の低い小橋川(こばしかわ)という友人が，今宵(こよい)はサムレーの子弟(してい)が名月を楽しむために集まったのだ，なぜおまえごとき者がここにいるのだ，と馬鹿(ばか)にしました。わたしも負けずに，何をいっているお前の方が家柄(いえがら)の低いいやしい身分ではないか，とやりかえしました。それに対し小橋川(こばしがわ)は，学問があってはじめてサムレーといえるのだ，学のないお前がサムレーを名のるとは滑稽(こっけい)なことだ，とさげすむように笑いました。その晩，わたしは悔(くや)しさのあまり泣きつづけました。そして，翌日から心をいれかえて勉学にはげんだのです。」

　何と，あの偉大(いだい)な政治家・蔡温(さいおん)が，落ちこぼれだったことをみずから記しているのです。いつの時代も，若者は自我(じが)の確立(かくりつ)に苦悩(くのう)する。蔡温(さいおん)とて例外ではなかったのです。大樹(たいじゅ)は地中深く根を張り，ゆっくりと成長するものなのです。世の大人たちも，子ども一人ひとりの成長をじっくりと見守るゆとりをもってほしいものですね。

2 ▶ 琉球王国時代の人物について，それぞれの問いに答えてください。

（1）1605年に中国からイモを持ち帰った人物はだれでしょうか。（　　）

　　　a．儀間真常
　　　　　（ぎましんじょう）

　　　b．野國總管
　　　　　（のぐにそうかん）

　　　c．青木昆陽
　　　　　（あおきこんよう）

（2）琉球の画家として有名なこの人物は，言葉が話せないという障がいをのり
　　こえ，冊封使（サップーシ）や日本の画家にも認（みと）められる絵を残しました。王様も彼の才
　　能を認め，ある名前をつけてあげました。何という名でしょうか。（　　）

　　　a．自了
　　　　　（じりょう）

　　　b．呉師虔
　　　　　（ごしけん）

　　　c．向元瑚
　　　　　（しょうげんこ）

（3）中国で陶芸（とうげい）の技術を学び，首里城正殿（せいでん）の屋根を飾る龍頭瓦（かざりゅうとうがわら）を制作した人物は，
　　だれでしょうか。（　　）

　　　a．平田典通
　　　　　（ひらたてんつう）

　　　b．仲村渠致元
　　　　　（なかんだかりちげん）

　　　c．張献功
　　　　　（ちょうけんこう）

（4）日本で最初に麻酔（ますい）を使って手術をしたといわれる人物は，だれでしょうか。
　　　　　　　　　　　　　　　　　　　　　　　　　　　　　　（　　）

　　　a．松茂良興作
　　　　　（まつもらこうさく）

　　　b．仲地紀仁
　　　　　（なかちきじん）

　　　c．高嶺徳明
　　　　　（たかみねとくめい）

（5）1715年に比嘉 乗 昌が琉球独自の漆器の技法を考案しました。何という技法でしょうか。（　　）

a．螺鈿

b．堆錦

c．沈金

（6）組踊は，中国皇帝の使者である冊封使をもてなすために作られた歌舞劇です。この芸能を創作した人物はだれでしょうか。（　　）

a．平敷屋 朝 敏

b．田里 朝 直

c．玉城 朝 薫

ナカユクイ　ライト兄弟よりも先に空を飛んだ琉球人

　1903年，ライト兄弟が世界ではじめて飛行機で空を飛んだことはよく知られています。しかし，琉球にはそれより100年も前に空を飛んだ人がいたと伝えられています。その名は，飛び安里。「空を飛んだ安里」というあだ名ですが，正式な名前はわかっていません。

　安里は，弓の原理を利用して翼を羽ばたかせる方法を考え，実際に飛行機をつくって南風原の高津嘉山で飛んだということです。残念ながら，どれだけの距離を飛んだのかはわかっていません。

　南風原町役場には飛び安里の飛行機（2分の1の復元）が展示されています。

南風原町役場に展示されている「飛び安里」の飛行機（復元）

次の近代沖縄の人物について答えてください。

（1）「沖縄学の父」といわれている人物は，だれでしょうか。（　　）

    a．伊波普猷
_{いは ふゆう}

    b．太田朝敷
_{おおた ちょうふ}

    c．東恩納寛惇
_{ひがしおんな かんじゅん}

（2）「海外移民の父」といわれている人物は，だれでしょうか。（　　）

    a．新垣弓太郎
_{あらかきゆみ たろう}

    b．當山久三
_{とうやまきゅうぞう}

    c．屋部憲通
_{や ぶ けんつう}

（3）沖縄を代表する民権運動家は，だれでしょうか。（　　）

    a．謝花昇
_{じゃはなのぼる}

    b．城間正安
_{ぐすく ま せいあん}

    c．高嶺朝教
_{たかみねちょうきょう}

（4）浦添出身のこの人物は，とても英語が得
意でした。旧制中学校を出たあと，東京
外国語学校（現・東京外語大学）に学び，
卒業後は沖縄初の外交官となりました。
この人物とは，だれでしょうか。（　　）

    a．宮城新昌
_{みや ぎ しんしょう}
    b．比嘉景常
_{ひ が けいじょう}
    c．田場盛義
_{た ば せい ぎ}

4▶ 次の戦前および戦後沖縄の文芸・空手に関する人物と，関係あることがらを線でむすんでください。

宮良長包 a・ ・ア 詩人。ユーモアとペーソスにみちた作品が特徴。

船越義珍 b・ ・イ 芸術家。戦後の伝統工芸の復興に寄与。平和祈念像を建立。

山之口貘 c・ ・ウ 音楽家。琉球旋律を使った郷土性豊かな曲で親しまれる。

山田真山 d・ ・エ 書家。朝鮮で王義之の書法を学ぶ。沖縄県庁表札や有名な記念碑の作品がある。

謝花雲石 e・ ・オ 空手家。大正期から昭和期にかけて本土に空手を紹介した。「空手に先手なし」を信条とする。

5▶ 次の戦後沖縄に関する人物と，関係あることがらを線でむすんでください。

志喜屋孝信 a・ ・ア 笑いと芸能の力で戦後復興に貢献。

比嘉秀平 b・ ・イ 戦後初期の沖縄民政府知事。

瀬長亀次郎 c・ ・ウ 琉球政府の初代知事。

阿波根昌鴻 d・ ・エ 早稲田大学の総長を三期務める。

小那覇舞天 e・ ・オ 非暴力の抵抗で平和運動を貫く。

仲吉良光 f・ ・カ 不屈の精神で米軍支配に抵抗。

大濱信泉 g・ ・キ 戦後，最初に日本復帰を唱える。

6 次の写真と関係のある「人間国宝」の名前を，語群から選んで書いてください。

芭蕉布

〔① 　　　　　　　　　〕

紅型

〔② 　　　　　　　　　〕

首里の織物 〔③ 　　　　　　　　　〕

琉球古典音楽 〔④ 　　　　　　　　　〕

琉球古典音楽 〔⑤ 　　　　　　　　　〕

組踊音楽歌三線
〔⑥ 　　　　　　　　　〕
〔⑦ 　　　　　　　　　〕

組踊立方
〔⑧ 　　　　　　　　　〕

組踊音楽太鼓
〔⑨ 　　　　　　　　　〕

組踊

組踊「二童敵討」の一場面（仲村顕氏提供）

語群

宮城能鳳	城間徳太郎	平良敏子	玉那覇有公	比嘉 聰
照喜名 朝一	宮平初子	西江喜春	中村一雄	

※重要無形文化財の保持者として認定された個人を，通称「人間国宝」とよぶ。県内では，故人（指定解除）の金城次郎（琉球陶器），與那嶺貞（読谷山花織），島袋光史（組踊音楽太鼓），島袋正雄（琉球古典音楽）を含め13人が人間国宝に指定。

7 1999年に「広く県民に敬愛され，県民に明るい希望と活力を与える顕著な功績があったものに対して，その栄誉をたたえることを目的とし，知事がこれを表彰する」県民栄誉賞の制度が定められました。2018年に沖縄県民栄誉賞を受賞した歌手（同年引退）は，だれでしょうか。
（ 　　　　　　　　　 ）

瀬長亀次郎(1907～2004)
～米軍抵抗のシンボル・不屈の精神をもった沖縄人～

　瀬長亀次郎は，豊見城村の貧しい農家に生まれました。

　若いころから社会主義運動にかかわり，1952 年に「琉球政府」が設立されると立法院議員となりました。その創立式典でのことです。すべての議員が米国民政府に忠誠を誓ったのに対し，亀次郎だけは座ったままそれを拒否したのです。それ以後，アメリカにとって「好ましからざる人物」となったのです。

　米軍は「銃剣とブルドーザー」で強制的に住民の土地をうばい，つぎつぎと軍事基地をつくっていきました。沖縄人の人権は無視され，米兵によって幼いこどもが残虐に殺害されるという，凶悪な事件さえおこりました。

　亀次郎は，そんな理不尽な米軍支配がどうしてもゆるせませんでした。

　1956 年，米軍にとってショッキングなことがおこりました。圧倒的に不利な条件をおしきって，亀次郎が那覇市長に当選したのです。すると，米国民政府は，那覇市への補助金をうちきったり，銀行にはたらきかけてお金を貸さないようにするなど，さまざまな手をつかって妨害したのです。

　いっぽう，瀬長市制を支持する市民は，そっせんして税金をおさめることで亀次郎を応援しました。そのときの納税率は 97 パーセントにまで達したといいます。業を煮やした米軍は，法律をつくって亀次郎を市長の座から追放しました。その裏で，アメリカを支持する沖縄の人びとの力もはたらいていました。

　わずか 11 ヶ月余の市長職でしたが，その強い信念と勇気は，沖縄住民に大きな自信をあたえました。亀次郎は，米軍への抵抗のシンボルとして住民の先頭に立ち，日本復帰をもとめて戦いました。

　復帰後は，7 期 19 年間，衆議院議員として沖縄のために活動を続けました。

15 琉球語について，知っておきたいこと

1 ▶ ウチナーグチの大きな特徴は，母音が日本語のあ (a)・い (i)・う (u)
の３音からなり，日本語のえ (e) は，い (i) に，お (o) は，う (u)
に変化することにあります。

本土方言				（母音）
なぁ	たぁ	さぁ	かぁ	あ a
にぃ	ちぃ	しぃ	きぃ	い i
ぬぅ	つぅ	すぅ	くぅ	う u
ねぇ	てぇ	せぇ	けぇ	え e
のぉ	とぉ	そぉ	こぉ	お o

沖縄方言				（母音）	
なぁ	たぁ	さぁ	かぁ	あ a	
にぃ	ちぃ	しぃ	ちぃ	い i	3母音
ぬぅ	ちぃ	すぅ	くぅ	う u	
にぃ	てぃ	しぃ	ちぃ	いi	eはiに変化
ぬぅ	とぅ	すぅ	くぅ	うu	oはuに変化

例にならって，次の言葉 (ことば) をウチナーグチになおしてください。

〔例〕雨 (ame) → （ami ＝アミ）

天 (ten) → (① 　　　　 = 　　　)　　　雲 (kumo) → (② 　　　 = 　　　)

空 (sora) → (③ 　　　　 = 　　　)　　　船 (fune) → (④ 　　　 = 　　　)

先生 (sensei) → (⑤ 　　　　　 = 　　　　　)

2 ▶ ウチナーグチは，日本語の「き」や「つ」を，「ち」に変化させて発音します。
例にならって，次の言葉をウチナーグチになおしてください。

〔例〕綱（つな）→チナ　　　（注）「つ」を「ツィ」と発音する地域もあります。

今帰仁（なきじん）→ (　　　　　)　　　北谷(きたたに)→ (　　　　　)

喜屋武（きゃん）→ (　　　　　)　　　屋敷（やしき）→ (　　　　　)

津嘉山（つかざん）→ (　　　　　)　　　爪（つめ）→ (　　　　　)

3 ▶ 沖縄語は，日本語の「え」は「い」に，「お」は「う」に変化し，「き」は，
「ち」に変化して読みます。では，「おきなわ」を沖縄語になおすとどのよ
うに発音しますか。

沖縄（おきなわ）→ (　　　　　　　　)

4 ▶ ウチナーグチは，日本語の「は」行を，「ふぁ」行に変化させて発音します。
例にならって，次の言葉をウチナーグチになおしてください。

〔例〕那覇 (なは) → （ナファ）

伊波（いは）→ (　　　　　)　　　春（はる）→ (　　　　　)

昼（ひる）→ (　　　　　)　　　彼岸（ひがん）→ (　　　　　)

　オジー，オバーというと，現在でもよく使用されるポピュラーなウチナーグチだと思われていますが，じつはそうではありません。標準語励行運動がおこなわれていたころに使われた，標準語に似せたウチナーヤマトグチなのです。

　つぎのウチナーグチと標準語を対比させてみると，よくわかります。

	ウチナーグチ		標準語	ウチナーヤマトグチ
	士族	平民		
祖父	タンメー	ウシュメー	おじいさん	オジー
祖母	ンメー	ハーメー	おばあさん	オバー
父	ターリー	スー	おとうさん	オトー
母	アヤー	アンマー	おかあさん	オカー

　1944年発行の月刊誌『文化沖縄』（5月発行）に，「数年前から時々耳にする度にいやな気持ちになっていた」と前置きして，「兄という愛称らしいが『ニーニー』，同じく姉という語の『ネーネー』というものがある。これと同じ響きを持ったものに，オヂー，オバー，オトー，オカーがある。こうした現状は，標準語励行運動の上からは若干問題になることと思う。これは何といっても標準語ではないからだ。もしかしたら沖縄語の連想から派生した新しい流行語ではないかとさえ思われる（要約）」と，標準語をまねたウチナーヤマトグチを批判した記事が掲載されています。

　現在使用されているオジー，オバーは，標準語励行運動によって生み出された，流行語的な言葉（ウチナーヤマトグチ）だったのです。

ウチナーグチには，独特ないいまわしの重ね語があります。次の言葉の重ね語を，例にならって書いてください。

（例）タックワイ　ムックワイ（べたべたくっつくこと）

トルゥバイ（① _____）（元気がなくぼんやりすること）

（② _____）　ヒンタク　（ぺちゃくちゃおしゃべりすること）

ニーブイ（③ _____）（いねむりすること）

アマハイ（④ _____）（あちらこちらかけずり回ること）

（⑤ _____）　クンジ　（とても苦労すること）

マンチャー（⑥ _____）（まぜこぜにすること）

（⑦ _____）　ヒーガリ　（やせ細っていること）

6 次の空欄に文字を書きいれ，カッコ内の意味になるようにしてください。

（1）　□　□ジュラサン　（心根が優しい）

（2）　□リ□シ　（縁起良い。めでたい）

（3）　□ジ□ーター　（コクのある味）

（4）　ア□ラ□マ　（宮古の言葉で，負けてたまるか）

（5）　ウ□ン□ス□　（神仏への感謝を忘れている）

（6）　□チ□タ□　（思いあたることがあって胸が痛い）

（7）　チ□ド□ド□　（胸がドキドキワクワクする）

（8）　□ジ□ン　（おばけ）

7 次のウチナーグチの意味を調べて書いてください。

（1）　まぶいぐみ

（2）　いちゃりば兄弟

（3）　なんくる　ないさ

（4）　あわてぃーる中　落てぃ着き

（5）　一人助き助き

（6）　じんぶんむち

----

8 ▶ 次のことわざの意味を調べて，書いてください。

（1）意地<ruby>ぬ<rt>ヌ</rt></ruby><ruby>いじら<rt>イジラ</rt></ruby>ー　<ruby>手ー引き<rt>ティーヒキ</rt></ruby>　<ruby>手ーぬいじら<rt>ティーヌイジラ</rt></ruby>ー　<ruby>意地引き<rt>イジヒキ</rt></ruby>

- -

（2）<ruby>他人んかい殺さってぃん<rt>チュンカイクルサッティン</rt></ruby>　<ruby>眠んだりーしが<rt>ニンダリーシガ</rt></ruby>　<ruby>他人殺ちぇー<rt>チュクルチェー</rt></ruby>　<ruby>眠んだらん<rt>ニンダラン</rt></ruby>

- -

（3）<ruby>木ぬ曲えー<rt>キーヌマガエー</rt></ruby>　<ruby>使りーしが<rt>チカーリーシガ</rt></ruby>　<ruby>人ぬ曲がえー<rt>チュヌマガエー</rt></ruby>　<ruby>使らん<rt>チカーラン</rt></ruby>

- -

（4）<ruby>家習ー<rt>ヤーナレー</rt></ruby>　<ruby>外習ー<rt>フカナレー</rt></ruby>

- -

（5）<ruby>雨だい水ぃや<rt>アマダイミズィヤ</rt></ruby>　<ruby>醬油使い<rt>ショウユジケー</rt></ruby>

- -

- -

9 ▶ 次の<ruby>琉歌<rt>りゅうか</rt></ruby>の意味を書いてください。

（1）<ruby>恩納ナビー<rt>ウンナ</rt></ruby>の歌

<ruby>恩納岳あがた<rt>ウンナダキアガタ</rt></ruby>　- - - - - - - - - - - - - - - - -
<ruby>里が生まれ島<rt>サトゥガンマリジマ</rt></ruby>　- - - - - - - - - - - - - - - - -
<ruby>森もおしのけて<rt>ムインウシヌキティ</rt></ruby>　- - - - - - - - - - - - - - - - -
<ruby>こがたなさな<rt>クガタナサナ</rt></ruby>　- - - - - - - - - - - - - - - - -

（2）<ruby>吉屋チルー<rt>ユシヤ</rt></ruby>の歌

<ruby>恨む比謝橋や<rt>ウラムフィジャバシヤ</rt></ruby>　- - - - - - - - - - - - - - - - -
<ruby>情けないぬ人の<rt>ナサキネンフィトゥヌ</rt></ruby>　- - - - - - - - - - - - - - - - -
<ruby>わぬ渡さともて<rt>ワヌワタサトゥムティ</rt></ruby>　- - - - - - - - - - - - - - - - -
<ruby>かけておきやら<rt>カキティウチャラ</rt></ruby>　- - - - - - - - - - - - - - - - -

10 次のウチナーグチについて，○×で答えてください。

（1）ウチナーグチで，美人のことをチュラカーギという。（　　）

（2）「涙<ruby>涙<rt>なだ</rt></ruby>そうそう」とは，「涙がとめどなく流れる」という意味である。（　　）

（3）八重山の言葉で，オーリトーリとは酒の回し飲みのことをいう。（　　）

（4）アガイタンディガマとは，宮古の言葉で明け方に東の空が白んでくるさまをいう。（　　）

（5）ガジマルなどの大樹に住むといわれる妖怪のことをキジムナーという。
　　　　　　　　　　　　　　　　　　　　　　　　　　　　　（　　）

（6）チルダイとは，大きい魚を釣ったときにいう喜びの言葉である。（　　）

（7）竹富島の言葉で，一致協力することをウツグミという。（　　）

（8）首里の言葉で，お母さんのことをアンマーという。（　　）

（9）太陽が出ているのに雨がふっていることを，ティーダブイという。（　　）

（10）夕暮れ時のことを，ユマンギとかアコークローという。（　　）

（11）ウートートとは，一番下の弟のことをいう。（　　）

（12）チバリヨーとは，頑張れという意味である。（　　）

（13）ユーリキヤーとは，力持ちのことをという。（　　）

（14）ミルクユガフーとは，ミルク入りおかゆのことをいう。（　　）

（15）霊力が強いことを，シジダカサンという。（　　）

（16）灯台下暗しのことを，慶良間ヤミーシガ　チュブルヤ　ミーラン，という。
　　　　　　　　　　　　　　　　　　　　　　　　　　　　　（　　）

1 琉球・沖縄の伝統行事（旧暦）表の空欄に，適語を書きいれてください。

月日(旧暦)	行　事　名	行　事　の　内　容
1月1日	元旦	若水をくみ，年始まわりをする。
2日	初起し（ハチウクシー）	仕事はじめ。
4日	（①　　　　　　　）迎え	年末に天に帰った火の神をむかえる。
7日	7日の節句	雑炊を神仏にそなえる。
14日	小正月	塩漬けした豚肉やソーキを炊いて神仏にそなえる。
初旬	生年祝（トゥシビー）	数え13・25・37・49・61・73・85歳の生年祝い。
		13歳祝いはおもに女の子が祝う。
16日	（②　　　　　　　）	霊界（グソウ）の正月。宮古・八重山では墓前で祝う。
20日	20日正月	正月行事の祝い納め。 那覇市辻で（③　　　　　　　）祭り。
吉日	初願い	家族の一年の健康を祈願する。
2月2日	土帝君（トーティークン）	中国から伝わった行事で，五穀豊穣の神をまつる。
上旬	（④　　　　　　　）	悪疫をはらう行事。牛・豚を屠殺して，生血を木にぬりつけ，家・屋敷に置く。また，集落の入り口には，縄で骨などを結んで張る。
15日	2月ウマチー	麦穂の祭り。
酉・亥	彼岸	仏前にご馳走をそなえる。
2月末〜 3月後半	（⑤　　　　　　　）	各家庭や門中でご馳走を持って墓参りし，そこで先祖と食事をともにする。
3月3日	（⑥　　　　　　　）	女子の節句。重箱にご馳走をつめて近くの浜辺で遊び，塩水で汚れをはらう。
15日	ウマチー	麦の収穫祭
4月中旬頃	（⑦　　　　　　　）	田畑の虫ばらい。害虫をカゴにいれて海に流す。
中旬〜下旬	山留め	稲の成熟期のため，山での作業を禁止する。
日不定	腰休め（クシユクイ）	3月までの砂糖製造の疲れを癒すための慰労会。
5月4日	ユッカヌヒー	（⑧　　　　　　　）をして，豊漁を祈願する。
5日	グングヮチグニチー	男児の節句で，健康を祈願する。アマガシやポーポー・チンビンを菖蒲とともに神仏にそなえる。

6月15日頃	6月ウマチー	稲の収穫祭。門中，根所や拝所を拝む。
6月25日	6月カシチー	収穫した新米を神仏にそなえる。
26日	綱引（地域によっては8月）	勝負によって農作の吉凶を占い，ニライから幸を引き寄せようとする行事。
7月7日	七夕（タナバタ）	お墓の清掃。
13〜14日	（⑨　　　　　　　）	13日の夕方，門前でローソクなどを灯して先祖の精霊を迎え入れ，親族で慰霊祭をし，15日の夜に送り出す。その後，村の青年たちが（⑩　　　　　　）を踊りながら地域を練り歩く。
旧盆前後	シヌグ・ウンジャミ	豊年・豊漁祈願。
8月8日	（⑪　　　　　　　）祝い	米寿（88歳）のお祝い。
	ヨーカビー	魔物や妖怪が横行するといわれ，爆竹を鳴らして悪霊払いをする。
15日	十五夜・綱引	豊年祭り。各地で村芝居などの娯楽で楽しむ。
9月7日	（⑫　　　　　　　）	数え年97歳の長寿者を風車で祝う。
10月1日	竈（かま）祭り	台所のカマドの掃除をし，火の用心を心がける。
	シマクサラシ	悪疫払い。2月に同じ。
立冬	種取祭（タントゥイ）	収穫した稲から来年の種籾を選びとる。宮古・八重山では村芝居などをして盛大に祭りをする。
11月		
冬至	トゥンジー	雑炊をつくり，神仏にそなえる。
15日	イザイホー	久高島で行われる，12年に一度の祭祀でこの儀式で新しい神女（ノロ）がうまれる。
12月8日	（⑬　　　　　　　）	厄除け祈願。サンニンの葉に包んで蒸した餅を子どもにあたえ，健康を祈願する。
12月24日	御願解き（ウガッンブトゥチ）	火の神，屋敷の神，祖霊に平穏無事の一年を感謝し，かなえられた祈願を解く日。
12月30日	（⑭　　　　　　　）	豚のソーキ汁等を食べて年をこす。

語群

アブシバレー　エイサー　清明祭（シーミー）　トーカチ
年の夜（トゥシヌユル）　カジマヤー　ジュールクニチ
ジュリウマ　シマクサラシ　鬼餅（ムーチー）　ハマウリー
ハーリー　旧盆（シチグヮチ）　火の神（ヒヌカン）

2 次の年中行事（旧暦）の月日，行事の名称，食べ物を線でむすんでください。

〔月・日〕 〔行事名〕 〔食べ物〕

① 3月3日　・ ・a グングヮチグニチ ・ ・㋐ 豚のソーキ汁

② 5月5日　・ ・b 　ハマウリー　 ・ ・㋑ チンビン・アマガシ

③ 11月ごろ　・ ・c ムーチー（鬼餅） ・ ・㋒ ジューシー

④ 12月8日　・ ・d 　トゥシヌユル　 ・ ・㋓ カーサムーチー

⑤ 12月30日・ ・e 　トゥンジー　 ・ ・㋔ サングヮチグヮーシ

128

3 子どもが生まれてから満1歳までにおこなわれる儀礼（ぎれい）をまとめたものです。それぞれの説明として，正しいものを線でむすんでください。

a．誕生（たんじょう）　・

b．生後7日目頃　・

c．生後1カ月　・

d．満1歳　・

・⑦ ハチアッチー（初めての外出）をする。魔よけとして額（ひたい）に鍋（なべ）の煤（すす）をつける。親戚（しんせき）や知人からマースデー（お塩代）と称（しょう）するお祝い金をもらう。その由来（ゆらい）は，けがれをはらう願いをこめてマース（お塩）を包んであげたことにあるという。

・⑦ タンカー祝い。仏壇（ぶつだん）の前に赤飯（せきはん），ソロバン，すずり，本，筆（ふで），お金などを並べ，子どもが最初に何を取るかで，将来を占（うらな）う。

・⑦ 産井（ウブガー）の水で浴（あ）びせる。産飯（ウブメシ）を炊（た）いて火の神に報告する。

・⑦ 満産祝い（まんさんいわ）（産後の忌明（いみあ）けのお祝い）。このころまでに名前をつけ，火の神や仏前に報告し，子どもの健（すこ）やかな成長を願う。満産祝い（まんさんいわ）は，地域によっては生後1か月，生後3か月におこなう。

17 琉球・沖縄の伝統的なスポーツや娯楽について，知っておきたいこと

1▶ 空手は琉球国時代の沖縄で生まれた武術で，現在では国際的なスポーツとなっています。その空手の教えとして，正しいものはどれでしょうか。

（　　）

- a．空手は先手必勝
- b．空手に先手なし
- c．空手は専守防衛

2▶ 沖縄では角力のことをシマといいます。その勝敗の決め方について，正しいものはどれでしょうか。（　　）

- a．相手を土俵の外に出したり，膝や手をつけさせたら勝ち。
- b．相手にマキタン（負けた），と言わせたら勝ち。
- c．相手の背中(両肩)を，地面につけた方が勝ち。

3▶ 競馬はスピードを競うのが一般的ですが，琉球競馬はそれ以外にあることを競うのが特徴です。それは何でしょうか。（　　）

- a．泳力を競う
- b．走る美しさを競う
- c．持久力を競う

4▶ 沖縄では闘牛のことをウシオーラセーといいます。その勝敗の決め方について，正しいものはどれでしょうか。（　　）

- a．逃げ出した牛が負けとなる
- b．腹を見せた牛が負けとなる
- c．先に声を出した牛が負けとなる

5 沖縄地鶏で県指定の天然記念物「チャーン」は，あることを競わせてその優劣を決めます。何を競うのでしょうか。（　　）

　　　a．鳴き声
　　　b．鶏冠の形
　　　c．尾の形体

6 沖縄の言葉で，トゥラーとかアカインとよばれる動物は何でしょうか。（　　）

　　　a．琉球山羊　　　　　　b．琉球猫　　　　　　c．琉球犬

7 沖縄の「じゃんけん」は「ブーサー」といい，親指，人差し指，小指で行います。次のなかで，正しい勝敗を示したものはどれでしょうか。（　　）

　　　a．親指は人差し指に勝ち，
　　　　人差し指は小指に勝ち，小
　　　　指は親指に勝つ

　　　b．人差し指は親指に勝ち，
　　　　親指は小指に勝ち，小指は
　　　　人差し指に勝つ

　　　c．小指は人差し指に勝ち，
　　　　人差し指は親指に勝ち，親
　　　　指は小指に勝つ

8 室内の娯楽に，将棋に似たボードゲームがあります。これを何というでしょうか。（　　）

　　　a．チャンジー

　　　b．チュンジー

　　　c．チェンジー

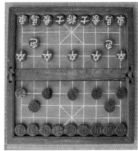

（仲村顕氏提供）

18 ウチナーなぞなぞに，チャレンジしよう

1▸ 王国時代のすぐれた政治家に蔡温がいます。蔡温の山林管理はきびしく，樹木の本数さえも登録させたといわれています。

いったい，どのような方法で山林の樹木を数えさせたのでしょうか。（　　）

a．樹木一本いっぽんに特定の傷をつけて数えさせる。

b．特定の樹木に縄をむすび，縄の過不足で数えさせる。

c．区切られた地域に村人を配置して数えさせる。

2▶沖縄の昔話に，理不尽な薩摩の要求を頓智できりかえし，窮地を救ったという笑い話があります。

　ある時，お国元の薩摩から「雄鶏の卵，灰で編んだ縄，眺めのいい山」の三つを送り届けるように，との難題がつきつけられました。こまった首里王府は，責任者の息子で頓智にたけたモーイを薩摩に派遣しました。

　はたして，モーイはこの難題をどのようにきりぬけたのか，考えてみましょう。

　a．雄鶏の卵

（ヒント：殿さまが，「なぜ父親は来ないのか」
と問いつめたので，モーイは，「父は産気づい
てくることができませんでした」と答えまし
た。すると，殿さまが「バカなことをいうな，
男が子どもを産めるか」と一喝しました。）

答え（＿＿＿＿＿＿＿＿＿＿＿＿＿＿＿＿＿＿＿＿＿＿＿＿）

　b．灰で編んだ縄

答え（＿＿＿＿＿＿＿＿＿＿＿＿＿＿＿＿＿＿＿＿＿＿＿＿）

　c．眺めのいい山

答え（＿＿＿＿＿＿＿＿＿＿＿＿＿＿＿＿＿＿＿＿＿＿＿＿）

3 次のウチナーグチなぞなぞに，答えてください。

（1）立ちねー低くなてぃ　居いねぇー　高くないせぇー　何やが
<small>タ チ ネー ヒ ク ク ナ ティ　　イ イ ネェー　　タ カ ク ナ イ シェー　　ヌー ヤ ガ</small>

　　意味：立つと低くなって，座ると高くなるものは何か。

　　答え（　　　　　　　　　）

（2）朝もひる　昼もひる　夜もひる　くれぇー　何やが
<small>ア サン フィ ル　　フィ ルン フィ ル　　ユ ルン フィ ル　　ク　レ　ー　　ヌー ヤ ガ</small>

　　意味：朝も，昼も，夜も「ひる」，これは何か。

　　答え（　　　　　　　　　）

（3）まーさてぃん「しぶい」んでぃ言いせぇ　何やが
<small>マー サ ティン　　シ ブ イ　　ン デ ィ イ イ シェー　　ヌー ヤ ガ</small>

　　意味：美味しくても「シブイ」というのは，何か。

　　答え（　　　　　　　　　）

（4）昼や豚なてぃ　夜や犬なてぃ歩っちゅるもの　何やが
<small>フィ ル ヤ ゥ ワー ナ テ ィ　　ユ ル ヤ イン ナ テ ィ　ア ッ チ ュ ル ム ノー　　ヌー ヤ ガ</small>

　　意味：昼は豚になって，夜は犬になって歩くものは，何か。

　　答え（　　　　　　　　　）

4 琉球舞踊の軽快な踊りといえば，「谷茶前節」を連想します。次の歌詞を
読んで，問いに答えてください。

1　たんちゃめーぬ浜に
　　スルル小が寄てぃちゅんどーヘイ
　　スルル小が寄てぃちゅんどーヘイ
　　タンチャ　マシマシ
　　ディアングヮ　ソイソイ

2　スルル小や　あらん
　　大和ミジュンど　やんでぃんどーヘイ
　　大和ミジュンど　やんでぃんどーヘイ
　　タンチャ　マシマシ
　　ディアングヮ　ソイソイ

問い　谷茶前の浜にスルルグワーは何匹やってきたのでしょうか。（　　　）

〔ヒント：2番目の歌詞に答えが隠されています。〕

　　　a．一匹もこなかった　　　b．1000匹　　　c．無数

134

5 ▶ 沖縄の県花はデイゴ，県木はリュウキュウマツ，県魚はグルクン，県竹は
リュウキュウチク，県鳥はノグチゲラ，県蝶はオオゴマダラ，では沖縄県
の「希望の星」は何でしょうか。
　　県民愛唱歌の「てぃさぐぬ花」を参考に，答えてください。

1　てぃんさぐぬ花や　爪先に染みてぃ

　　（ホウセンカの花は　爪にそめるけど）
　　親ぬ寄し事や　肝に染みり

　　（親の言う教えは　心に染めなさい）

2　天ぬ群星や　読みば読まりしが

　　（天の群星は　数えようと思えば数えることができるけれど）
　　親ぬ寄し事や　読みやならん

　　（親の教えは　数えることができない）

3　夜走らす舟や　子ぬ方星見当てぃ

　　（夜に走る船は　北極星を目当てに航行する）
　　我ん生ちぇる親や　我んどぅ見当てぃ

　　（私を産んでくれた親は　私をたよりに生きている）

　　（または，私を産んでくれた親は　私をずっと見守ってくれている）

　答え（　　　　　　　　）

6 次のウチナーなぞなぞを，それぞれ 10 秒で答えてください。

（1）沖縄の人にとって，猛毒をもったハブはとてもこわいものですが，アメリカから来た留学生たちは，ハブを見るととても喜びます。なぜでしょうか。
答え （　　　　　　　　　　　　　）

（2）留学生のジョン君は，アンコの入ったあるものを食べるとき，いつも「いらない」といいながら美味しそうに食べます。それは何でしょうか。
答え （　　　　　　　　　）

（3）浦添市に中国から留学生がやってきました。いつ来たのでしょうか。
答え （　　　　　　　　　）

（4）沖縄人がカップルで行く外国はどこでしょうか。
答え （　　　　　　　　　）

（5）動物園でいつも元気よく挨拶をする動物は何でしょうか。
答え （　　　　　　　　　）

（6）車の修理工場で店番をしている動物は何でしょうか。
答え　（　　　　　　　　　　　　）

（7）八重山にいる鳥で，いつも怒ってばかりいるのは何でしょうか。
答え　（　　　　　　　　　　　　）

（8）いつも友達に囲まれているのは，だれでしょうか。
答え （　　　　　　　　　）

（9）山登りは怖いから行くなという人は，だれですか。
答え（　　　　　　　　　　　　）

（10）タクシードライバーにあこがれている人は，だれでしょうか。
答え（　　　　　　　　　　　　）

（11）友達に名前をよばれただけでドキッとする人は，
だれでしょうか。
答え（　　　　　　　　　　　　）

（12）クラスの中で，いつも変わったことをする人は，だれでしょうか。
答え（　　　　　　　　　　　　）

（13）クラスの中で，カーサムーチーが好きな人は何人いるでしょうか。
答え（　　　　　　　　　　　　）

（14）お喋りをしている人を黙らせるグッズは何でしょうか。
答え（　　　　　　　　　　　　　　　）

（15）おじいちゃんとおばあちゃん，長生きをするの
はだれでしょうか。
答え（　　　　　　　　　　　　）

（16）海人のおじいちゃんが好きな食べ物は何でしょうか。
答え（　　　　　　　　　　　　）

琉球・沖縄史年表　空欄には語群から適語を選んで書き入れてください。

西暦	時代			出来事
	本　土		沖　縄	
前30000	旧石器時代		旧石器時代	山下町洞人
				ピンザアブ人
				[① 　　　　]旧石器人(確認できる最古の化石人骨)
				港川人
前20000				
				下地原洞人
前10000				
				この時代に相当する遺跡は未発見
前7000	縄文時代	早期	貝塚時代	押引文土器
		前期	早期	南島爪形文土器
前2000		中期		サンゴ礁の環境に適応した生活を営む
		後期	前期	九州産の[② 　　　　]土器が出土
				宮古・八重山で土器文化の形成
前1200				獣骨や貝殻を利用した独特な生活用品が出土
前500		晩期	中期	内陸部の広い台地が生活の場となる
	弥生時代	前期	後期	海岸砂丘地の集落を形成する
				網による漁法が海の幸を豊富にもたらす
				貝塚が多く形成される
紀元		中期		宮古・八重山で[③ 　　　　]文化の形成
				貝輪の原料として，[④ 　　　　]やイモガイなどが九州へもたらされる
		後期		台地上に集落が形成される
1100	古墳時代			中国の貨幣・開元通宝が出土
	平安時代			

【語群】　　無土器　　ゴホウラ　　市来式　　白保

138

本土	沖縄		西暦	出来事
鎌倉時代	古	グスク時代	1187	舜天即位と伝わる（舜天王統）
			1260	英祖即位と伝わる（英祖王統）
			1264	久米・慶良間・伊平屋などが中山に入貢と伝わる
				このころ浦添に極楽寺が建立される
室町時代		〔三山時代〕	1350	察度即位と伝わる（察度王統）
			a _ _ _ _	中山王・察度はじめて明に入貢
			1380	三山王・承察度はじめて明に入貢
			1383	三北王・怕尼芝はじめて明に入貢
			1404	武寧がはじめて[⑤　　　　　]うける
	琉球	第一尚氏王統	1406	尚巴志，中山王・武寧を滅ぼし第一尚氏王統をひらく
			b _ _ _ _	[⑥　　　　　　　]，三山を統一する（琉球王国）このころより大交易はじまる
			1453	志魯・布里の乱おこる
			1458	[⑦　　　　　　　　　　　　　]の乱おこる
				首里城正殿に[⑧　　　　　　　]の鐘をかける
			1467	朝鮮王朝にオウム・クジャクを贈り，返礼として大蔵経が進呈される
		第二尚氏王統（前期）	1470	金丸，第一尚氏王統を滅ぼし，第二尚氏王統をひらく
			1500	八重山で[⑨　　　　　　　　　]の戦い
			1528	待賢門(のちの守礼門)を建立
			1570	南方貿易が衰退する（大交易の終焉）
安土桃山時代			1591	豊臣秀吉による朝鮮侵略，琉球にも派兵もとめる
			1592	秀吉，琉球を島津氏の与力とする
			1598	秀吉の死で朝鮮侵略終わる
			1600	関ヶ原の戦い
江戸時代			1603	[⑩　　　　　　　]，江戸幕府ひらく
			1605	野國総管，中国より[⑪　　　　]を持ち帰る
			1606	謝名親方，三司官となる
			c _ _ _ _	薩摩島津氏の[⑫　　　　　　　　]

【語群】　琉球侵略　　護佐丸・阿麻和利　　オヤケアカハチ　　冊封
　　　　　万国津梁　　イモ　　徳川家康　　尚巴志　　1372　　1609　　1429

本土	沖縄		西暦	出 来 事
江戸時代	近世 琉球	第二尚氏王統後期	1612	明への進貢10年1貢に制限される
			1617	島津氏，琉球の日本化を禁止する
			1621	尚豊，島津氏の承認を得て即位。以後，王位は島津氏の承認を得ることが慣例となる。
			1623	[⑬　　　　　　　　　　]，製糖技術を導入
			1624	八重山キリシタン事件おこる
			1633	冊封使来琉。2年1貢許される
			1647	黒糖・ウコンの専売はじまる
			1650	羽地朝秀，『⑭　　　　　　　　　　　　　』を編集する
			1664	「守礼之邦」の扁額を常掲する
			1666	[⑮　　　　　　　　]，摂政となる。近世琉球への政治改革をおこない，「古琉球」的なものを排除
			1673	国王の知念・玉城・久高島への行幸を停止
			1682	美里の知花，首里の宝口，那覇の湧田の窯を牧志に移し壺屋を創建
			1689	系図座を設置し，身分制度を確立する
			1719	玉城朝薫が創作した[⑯　　　　　]を上演し，冊封使をもてなす
			1728	[⑰　　　　　　]，三司官となる
			1749	このころの人口およそ20万人
			1771	八重山で乾隆36年の[⑱　　　　　　　](明和の大津波)
			1798	首里に平等学校所と上級学校の[⑲　　　　　]を設立
			1816	イギリス船，ライラ号(艦長・バジルホール)・アルセスト号来航
			1844	フランス船来航し，和親・貿易・布教を求める
			1846	ベッテルハイム，キリスト教の伝道で来航
			1851	ジョン万次郎が来航
			d-----	[⑳　　　　　　　]来航，日本を開国させるための足掛かりとする
				通事・板良敷(牧志)朝忠の活躍
			1854	[㉑　　　　　　　　]を結ぶ
			1858	薩摩藩，フランスから軍艦購入を計画するが藩主・斉彬の死でとん挫
			1859	牧志・恩河事件おこる
			1871	宮古船の台湾遭難事件おこる
			1872	明治天皇から尚泰を藩王とする詔書を受け取る
			e-----	明治政府，琉球国を併合し[㉒　　　　　　　]を設置

〔語群〕 沖縄県　蔡温　儀間真常　ペリー　組踊　中山世鑑　羽地朝秀
琉米条約　大津波　国学　1853　1879

140

本土	沖縄	西暦	出　来　事
明治期	近代期沖縄	1880	日清による「分島・増約（[㉓　　　　　　　　]を中国領とするかわり，日本商人が欧米諸国並みに中国で商業活動ができるようにすること）」に合意するも，のちに解消
		1882	第2代県令・上杉茂憲，旧慣改革を政府に上申
			第1回[㉔　　　　　　　　　　　]派遣
		1883	上杉解任され，旧慣温存策が継続される
		1885	西表炭坑の採掘開始
		1888	人口37万4698人
		1889	瓦ぶきの制限解除。赤瓦屋根が普及する
		1894	[㉕　　　　　　　　]（～95年）の勃発で県内混乱
		1895	日清戦争で日本が勝利したことで，日本への同化進む。尋常中学校ストライキ事件おこる
		f____	[㉖　　　　　　　]施行
		1899	入墨禁止令。海外移民始まる
		1900	人口46万5470人
		1901	この年までに徴兵忌避者113人。本格的なカツオ漁開始
		1903	[㉗　　　　　　　　　]廃止
		1904	日露戦争始まる（～05年）
		1908	間切・島および村を，村および字と改称
		1912	衆議院議員選挙法施行（宮古・八重山除き2名）
		1914	第一次世界大戦始まる（～18年）。軽便鉄道開通
		1919	衆議院議員選挙法改正で，宮古・八重山を含む5人となる
		g____	本土並みの[㉘　　　　　　]となる
		1923	このころ県外出稼ぎ多くなる
		1924	このころから[㉙　　　　　　]地獄と呼ばれる不況続く
		1925	人口55万7993人
		1931	満州事変おこる
大正期		1937	日中戦争おこる
		1939	第二次世界大戦始まる
		h____	12月8日，[㉚　　　　　　　　　]戦争始まる
		1944	3月22日に南西諸島の防衛目的に第32軍創設。司令官に渡辺正夫中将，のちに [㉛　　　　　　]中将が任命される(8月着任)

【語群】	宮古・八重山　　アジア太平洋　　県費留学生　　日清戦争　　徴兵令
	地方制度　　ソテツ　　牛島満　　頭懸（人頭税）　　1898　　1920　　1941

141

本土	沖縄	西暦	出　来　事
昭和期	戦 後 沖 縄	1944	8月22日，[㉜　　　　　　　　]，悪石島付近で撃沈 [㉝　　　　　　　　]，那覇市を中心に大空襲
		1945	3月26日，米軍が[㉞　　　　　　　]諸島に上陸 4月1日，米軍が沖縄島西海岸に上陸 [㉟　　　　　　　　　]，第32軍司令官・牛島満が自決 8月6日（広島），9日（長崎）に原子爆弾が投下される 8月15日，天皇による玉音放送で敗戦を知らされる [㊱　　　　　　　　　]，沖縄戦が公式に終了する
		1946	マッカーサー，日本と南西諸島の行政分離を宣言
		1947	[㊲　　　　　　　　　　　　]，米国務省へ通達
		1949	米国，沖縄の長期保有を決定
		1950	GHQ「沖縄に恒久的基地建設をはじめる」と発表 琉球軍政府を琉球列島米国民政府（USCAR）と改称
		1951	日本復帰促進期成会結成（沖縄群島有権者72％の署名集める）
		1952	[㊳　　　　　　]発足（主席・比嘉秀平）
		1953	第一回祖国復帰県民総決起大会。土地収用令公布，土地の強制収用おこなわれる。奄実群島日本復帰
		1954	アイゼンハウワー米国大統領，「沖縄を無期限に管理する」と言明。米民政府，地代[㊴　　　　　　　]の方針発表。立法院で「土地四原則」を打ちだす
		1955	伊江島・伊佐浜の土地強制収用（武装米兵出動） アジア諸国会議，沖縄の即時日本返還要求を決議。米兵の幼女殺害事件 プライス調査団来沖，軍用地問題を調査
		1956	プライス勧告発表，土地問題四原則をほとんど否定。プライス勧告に反対する[㊵　　　　　　　　　]おこる
		1957	高等弁務官制度を実施
		1958	通貨をB円からドルへ切り替え
		1859	石川市[㊶　　　　　　]小学校に米軍機墜落（死者17人，負傷者121人）
		1960	[㊷　　　　　　　　　　　　　]結成。アイゼンハウワー米大統領沖縄訪問
		1963	キャラウェイ高等弁務官，沖縄の「自治神話」演説

（語群）　6月23日　　9月7日　　10月10日　　島ぐるみ闘争　　慶良間　　天皇メッセージ
宮森　　沖縄県祖国復帰協議会　　対馬丸　　琉球政府　　一括払い

本土	沖縄	西暦	出来事
昭		1965	佐藤首相来沖,「沖縄の祖国復帰が実現しないかぎり,日本の[㊸　　　　]はおわらない」と声明
		1967	教公二法案審議をデモ隊が実力で阻止
		1968	アンガー高等弁務官「基地撤去はイモとはだしにもどること」と演説 初の公選主席に屋良朝苗（革新）当選。嘉手納基地で[㊹　　　]墜落炎上
和	戦	1969	佐藤・ニクソン会談で沖縄の72年返還決まる
		1970	戦後初の国会議員選挙実施
			コザで[㊺　　　　]発生。人口94万5465人
		i	[㊻　　　　　　　](5月15日)で，沖縄県誕生。ドルから円へ通貨交換。新 知事に[㊼　　　　]当選
期		1975	国際海洋博覧会開催（〜76年）
		1978	[㊽　　　　　　　]変更、保守の西銘順治知事誕生
	後	1980	人口110万人6559人
		1982	日本史教科書の住民虐殺記述削除が問題化（のちに記述回復）
		1986	「日の丸・君が代」問題で卒業式・入学式が混乱
		1987	6.21嘉手納基地包囲行動。海邦国体，かりゆし大会開催
	沖	1990	「慰霊の日」休日存続。革新の太田昌秀知事誕生
		1992	復帰20年。首里城正殿復元
平		1993	全国植樹祭開催。上原康助、県選出議員として初の開発庁長官に就任
		1995	[㊾　　　　　　　　]建立。米兵三人よる少女暴行事件に対する県民総決 起大会
	縄	1996	象のオリ、国による不法占拠状態となる。普天間飛行場の全面返還合 意。「日米地位協定の見直しと米軍基地の整理縮小を求める県民投票」で 89％が[㊿　　　　　]
成		1997	名護市の市民投票で海上基地受け入れ反対が多数占めるが，市長は受け 入れを表明
		1998	保守の稲嶺惠一知事が誕生
		i	[51　　　　　　　　　　]の首脳会議を名護市で開催
			琉球王国のグスク及び関連遺産群が世界遺産に登録
期		2002	[52　　　　　]代替基地「埋め立て」で合意。中城港湾の泡瀬地区埋め 立て工事着手
		2004	沖縄国際大学に普天間基地所属の大型ヘリ激突墜落

〔語群〕	普天間	九州・沖縄サミット	平和の礎	賛成	交通方法	屋良朝苗
	反米騒動	日本復帰	戦後	B52	1972	2000

本土	沖縄	西暦	出来事
平成期	戦後沖縄	2006	普天間代替施設の「V字滑走路案」などで日米合意。保守の仲井眞弘多知事誕生
		2009	民主党の鳩山代表，普天間移設，最低でも県外約束
		2010	民主党政権，普天間移設を辺野古へ回帰
		2012	普天間飛行場に[(53)　　　　　　]を強行配備 仲井眞知事，辺野古埋め立てを[(54)　　　　]
		2013	米軍ヘリ伊計島沖で墜落
		2015	翁長知事，辺野古沿岸部埋め立て承認の取り消しで法廷闘争へ
		2016	子どもの貧困拡大(全国の2倍)。米軍属の女性殺害事件で6万5000人が抗議集会。辺野古沿岸部の埋め立て取り消し訴訟で県が敗訴。名護市安部の海岸にオスプレイ墜落
		2017	名護市辺野古の[(55)　　　　　　　　]で護岸工事始まる。東村高江の民間地で米軍の大型輸送機炎上
		2018	翁長知事死去。県が埋め立て承認を撤回。国は12月に土砂投入。オール沖縄の[(56)　　　　　　]知事誕生
令和期		2019	辺野古県民投票，米軍基地建設のための埋立てに約72%が[(57)　　　　]。首里城の火災で正殿など6棟が焼失
		2020	新型コロナで県経済大打撃。辺野古新基地建設で国が埋め立て変更申請を提出。首里城再建の道筋かたまる
		2021	

〔語群〕 反対　承認　オスプレイ　玉城デニー　新基地建設

≪解答編≫

第1部　現在の沖縄県

p.2··7　1　沖縄県について，知っておきたいこと

1. (1) c　県章：外円は海洋を表し，白い部分はローマ字の「O」で，沖縄を表現するとともに人の和を強調。内円は動的に，グローバルに伸びゆく県の発展性を象徴し，「海洋」「平和」「発展」のシンボル（県のホームページより）。aは那覇市，bは豊見城市の市章。
   (2) c．デイゴ　(3) a．リュウキュウマツ　(4) c．グルクン　(5) a．ノグチゲラ
   (6) b．オオゴマダラ

2. (1) c．硫黄鳥島　与論島以北は奄美諸島。
   (2) ① b．北大東島　② a．与那国島　③ b．波照間島

3. (1) ○　(2) ×　女性は7位，男性に関しては36位（2015年調査）
   (3) ×　2020年は19位　(4) ○　(5) ×　(6) ○　(7) ×　(8) ○

4. (1) a．約0.6%　(2) b．44番目　(3) c．160島　(4) c．西表島
   (5) c．約146万人　(6) b．約23℃　(7) b．2040mm　(8) a．於茂登岳
   (9) b．浦内川　(10) a．伊良部大橋　無料で渡ることができる日本で一番長い橋

5. a．西銘順治　b．大田昌秀　c．翁長雄志
   ①海洋博覧会　②ウチナーンチュ大会　③15年　④21世紀ビジョン　⑤承認

6. 玉城デニー（本名：玉城康裕）

7. b．てぃんさぐぬ花

8. c．特定非営利活動法人　国際協力NGOセンター（JANIC）　沖縄平和賞：沖縄の持つ特性を生かして，沖縄の視点から新たな国際平和の創造を目指し，沖縄と地理的・歴史的に関わりの深いアジア太平洋地域の平和の構築・維持に貢献した個人・団体を表彰。授賞式は2年に1回。賞金は1000万円。

9. ①ゆい　②てだこ浦西　③19　④赤嶺　⑤那覇空港

p.8～16　2　沖縄の市町村について，知っておきたいこと

1. ①国頭村　②東村　③大宜味村　④名護市　⑤今帰仁村　⑥本部町　⑦伊江村
   ⑧宜野座村　⑨金武町　⑩恩納村　⑪うるま市　⑫読谷村　⑬嘉手納町　⑭北谷町
   ⑮沖縄市　⑯北中城村　⑰中城村　⑱宜野湾市　⑲浦添市　⑳西原町　㉑那覇市
   ㉒豊見城市　㉓糸満市　㉔八重瀬町　㉕南城市　㉖南風原町　㉗与那原町
   ㉘伊平屋村　㉙伊是名村　㉚久米島町　㉛粟国村　㉜渡名喜村　㉝座間味村
   ㉞渡嘉敷村　㉟宮古島市　㊱多良間村　㊲北大東村　㊳南大東村　㊴石垣市
   ㊵竹富町　㊶与那国町

2. ①伊平屋村　②大宜味村　③東村　④伊江村　⑤恩納村　⑥読谷村　⑦北中城村
   ⑧座間味村　⑨南大東村　⑩多良間村　⑪本部町　⑫金武町　⑬南風原町
   ⑭八重瀬町　⑮竹富町　⑯浦添市　⑰糸満市　⑱沖縄市　⑲うるま市

3. ①（c）東村　②（b）今帰仁村　③（a）恩納村　④（d）北谷町　⑤（f）浦添市
   ⑥（e）糸満市

4. (1) 久米島　(2) 西表島　(3) 与那国島

5. (1) b．41　(2) a．竹富町　(3) a．渡名喜村　(4) c．読谷村

（5）b．南風原町　　（6）a．劇場の名前　　（7）c．北大東村—南大東村

6　a．なんじー〔南城市〕　b．ピカリャー〔竹富町〕　c．さわりん〔西原町〕
　　d．ぶトモー〔本部町〕　e．護佐丸〔中城村〕　f．く〜みん〔久米島町〕

---

p. 17〜20　3　沖縄の重要な出来事や記念日，イベント，映画について，知っておきたいこと

1　3月26日a—エ　　3月27日b—ア　　4月4日c—イ　　4月28日d—ク
　　5月15日e—ケ　　6月23日f—カ　　7月30日g—コ　　8月15日h—キ
　　9月7日i—オ　　10月10日j—ウ

2　3月4日（三線）の日　　3月5日（サンゴ）の日　　4月3日（シーサー）の日
　　5月8日（ゴーヤー）の日　　8月1日（パイン）の日
　　9月18日（しまくとぅば）の日　　10月9日（闘牛）の日
　　10月17日（沖縄そば）の日　　10月25日（空手）の日
　　10月30日（世界のウチナーンチュ）の日
　　11月1日（美ら島おきなわ教育）の日
　　11月16日（いも）の日

3　①東村つつじ祭り　　②全日本トライアスロン宮古島大会　　③糸満ハーレー
　　④NAHAマラソン

---

p. 21〜25　4　沖縄の観光について，知っておきたいこと

1　（1）c．約1000万人　（2）a．ウトゥイムチ　（3）a．エコツーリズム
　　（4）ホエールウオッチング　（5）b．美ら海水族館

2　①伊計ビーチ　②与那覇前浜　③コンドイビーチ　④水納島ビーチ　⑤瀬底ビーチ
　　⑥豊崎美らSUNビーチ

3　①a　②e　③g　④k　⑤h　⑥j　⑦d　⑧b　⑨f　⑩c

4　①b．阪神タイガース　②d．横浜DeNAベイスターズ
　　③c．東北楽天ゴールデンキングス

5　（1）琉球ゴールデン［キングス］　（2）［FC］琉球　（3）琉球［アスティーダ］
　　（4）琉球［コラソン］　（5）琉球［ブルーオーシャンズ］

---

p. 26〜29　5　沖縄の食文化について，知っておきたいこと

1　（1）a．イラブー料理　（2）c．ニンジンシリシリー　（3）a．ナーベーラーンブシー
　　（4）b．ゴーヤー　（5）b．もずく

2　b．ティーアンダ

3　a．ヌチグスイ

4　鳴き声

5　c．ブクブク茶

6　①—b—㋐　　②—a—㋑　　③—d—㋕　　④—e—㋒　　⑤—c—㋓

---

p. 30〜37　6　沖縄の自然について，知っておきたいこと

1　（1）a．泡瀬干潟　（2）c．八重干瀬　（3）b．石西礁湖
　　（4）c．やんばる国立公園　（5）c．ジンベエザメ　（6）a．ヨナグニサン
　　（7）b．シマチスジノリ　（8）c．ジャーガル

2　（1）c．ノッチ　（2）a．ビーチロック　（3）b．カルスト

3 ①名護のヒンプンガジマル　②久米島の五枝の松
4 ①ノグチゲラ　②イリオモテヤマネコ　③カンムリワシ
5 ①セマルハコガメ　②ヤンバルクイナ　③アカショウビン
6 ①マンタ　②ハブクラゲ　③カクレクマノミ
7 ①テッポウユリ　②ハイビスカス　③ゲットウ
8 ①デイゴ　②プルメリア　③モモタマナ　④イジュ　⑤ユーナ　⑥サガリバナ
　⑦ヒカンザクラ　⑧キョウチクトウ　⑨ブーゲンビレア
9 （1）×　固有種　（2）○　（3）○　（4）×　ケラマジカは，17世紀の前半に金武王子
が薩摩から持ち帰って久場島に放したものが繁殖したといわれている。冊封使をもてなす
御冠船料理に使用するためだったと思われる。　（5）○　（6）○　ちなみに，サンゴ礁
の面積は地球上の海洋面積の0.2％に満たないといわれている。
　（7）×　プランクトンが少ないため，透明度が高い。
　（8）×　星砂は有孔虫の殻が堆積したもの。
　（9）×　特別天然記念物ではなく，天然記念物。
　（10）○　（11）○　（12）×　写真はアダンの木の実。
10 （1）①g．ニングヮチカジマーイ　②c．ウリズン　③a．ワカナチ　④d．カーチーベー
　　⑤b．ミーニシ　⑥h．トゥンジービーサ　⑦e．カタブイ　⑧f．ワカリビーサ
　（2）c．星空保護区　（3）c．恋する灯台　（4）a．17.2m/s　（5）b．7〜8個
　（6）b．85.3m/s（国内2位）国内最大の瞬間風速は,同年,富士山で観測された91.0m/s。

p. 38〜50　　7　沖縄戦について，知っておきたいこと

1 （1）a．航空基地
　（2）a．首里
　（3）b．牛島満
　（4）c．対馬丸
　（5）b．50人余
　（6）a．10・10空襲
　（7）a．アイスバーグ作戦　コロネット作戦は関東上陸作戦，オリンピック作戦は南九州
　　　　上陸作戦。
　（8）c．570人
　（9）c．六分の一
　（10）a．四分の一
　（11）c．保護者の承諾があれば，14歳でも防衛召集の対象となった。
　（12）b．1984人
　（13）a．日本軍の将兵にも，住民を救うために投降をすすめる者がいた。
　（14）b．沖縄島中部の西海岸
　（15）c．米兵と対応できるハワイ移民帰りの住民がいた。
　（16）a．約10％
　（17）b．日本兵
　（18）c．アーニー・パイル
　（19）c．集落にあるガジマルの木の上
　（20）b．米軍は住民対策をとってはいたが，戦中・戦後を通して，米兵による性暴力事
　　　　件は住民を震撼させた。

(21) ａ．沖縄戦は地獄より恐ろしかったってわけか。

(22) ｂ．浦添の前田高地

(23) ａ．海兵隊の基地の名称

(24) ｃ．米軍の本土上陸をおくらせるため，時間をかせごうと考えた。

(25) ｂ．手榴弾や青酸カリなどで自決させられたり，銃剣で刺殺された。

(26) ａ．沖縄県民は軍に協力してよく戦った，戦後は特別な配慮をお願いしたい。

(27) ｂ．ガマから追い出したり，スパイ容疑で殺害したりした。

(28) ｃ．約 100 発

(29) ａ．米軍のビラに「男は褌もしくは猿股だけを着け」て投降するようにと書いてあったから。

(30) ｂ．徹底抗戦の構えをとり，住民殺害も多発した。

(31) ｃ．マラリア

(32) ｃ．34 万人

(33) ｂ．9 月 7 日

(34) ａ．ほとんどない

(35) ＤＮＡ鑑定

2 ①捨石作戦　②無差別攻撃　③地上戦　④軍官民共生共死　⑤沖縄住民
　⑥日本軍「慰安婦」　⑦住民虐殺　「集団自決」

3 刻銘者数：241,593 人

p. 51 ～ 54　　8　沖縄の基地問題について，知っておきたいこと

1 ①日米安保条約　②0.6％　③1％　④70％　⑤14％　⑥9　⑦太平洋の要石　⑧自衛隊

2 海兵隊

3 ①82.0％　②金武町　③読谷村

4 ①宜野座村　②33.7％　③嘉手納町

5 協定：日米地位協定

6 （1）ｃ．キャンプ・ハンセン　（2）Ｆ　（3）Ｈ

7 （1）×　戦前は，集落が点在する農村地帯で，役場や学校のほか病院，郵便局，商店や墓地などがあった旧宜野湾村の中心地だった。
（2）○　（3）○　（4）×　200 万円未満が大半。　（5）○
（6）×　過半数が反対の意思表示をした。　（7）×　賛成が反対を大きく上回った。
（8）○　（9）×　2016 年 12 月には，名護市安部の浅瀬に墜落。世界各地で事故がおこっており，危険な航空機といわれている。　（10）○　（11）○
（12）×　約 70％を日本政府が負担。

第 2 部　琉球・沖縄の歴史や文化など

p. 58 ～ 92　　9　琉球・沖縄の歴史について，知っておきたいこと

先史時代

1 （1）ｃ．炭酸カルシウムをふくむ琉球石灰岩は，骨の保存に適しているから。　本土は酸性の火山灰土が多く，骨が酸化して残りにくい。
（2）ａ．白保竿根田原洞穴遺跡　（3）ｃ．港川人　（4）ｂ．貝製の釣り針

2 ａ．貝　権威の象徴として貝輪（腕輪）をつくった。

3 b．貝斧

4 c．カムィヤキ

古琉球

5 b．按司

6 a．舜天　b．英祖　c．察度

7 （1）a．1372 年　（2）c．約 400 人　（3）b．5 月から 6 月ごろ　（4）b．約半年

8 a．大交易時代

9 c．レキオ人

10 ①d．尚巴志　②a．1429 年

11 a．護佐丸・阿麻和利の乱

12 c．尚真

13 c．オヤケアカハチの戦い

14 （1）b．旧暦 9 月の新北風が吹きはじめるころ

（2）c．ムカデ　竜巻よけのマジナイといわれる。

（3）a．大砲門　模造で軍船に見せかけた。

15 ①a．生糸・絹織物・陶磁器　②b．蘇木・胡椒・象牙　③c．刀剣・扇・漆器

④d．綿織物・朝鮮人参

16 a．シャム（タイ）

17 a．沖縄戦で焼け出されたため

近世琉球

18 c．1609 年

19 b．尚寧

20 c．硫黄鳥島

21 a．鄭迵（謝名親方 ）

22 c．いない　女性のように見えるのは，楽童子（がくどうじ）とよばれる少年たち。

23 a．組踊

24 a．羽地朝秀

25 親方（b．紫冠）　親雲上（a．黄冠）

26 a．科試という任用試験が役職によっておこなわれ，それに合格した者が役人になること
ができた。

27 a．島流し

28 空欄A：a．三司官

29 空欄B：c．評定所

30 空欄C：b．地頭代

31 b．蔡温

32 a．イモ

33 c．ソテツ

34 a．ジュゴン

35 b．大津波

36 c．クジラの糞　竜涎香（りゅうぜんこう）のこと。マッコウクジラの腸内（ちょうない）にできた結石（けっせき）で，何かのはずみで
体外に出て浜辺に流れついたもの。

37 c．昆布

38 b．生糸

| 39 | a．チーズ |

| 40 | a．武器もなく戦争もない，金銀の通貨もないこと。 |

| 41 | c．アヘン戦争に参加していた，イギリスの輸送船。　台風で漂流し，北谷沖合で座礁^{ざしょう}。
乗組員67人は全員救助され，46日間，手厚くもてなされた。 |

41　c．アヘン戦争に参加していた，イギリスの輸送船。　台風で漂流し，北谷沖合で座礁。
乗組員67人は全員救助され，46日間，手厚くもてなされた。

42　c．琉球にかぎって貿易をみとめ，国難をのがれようとした。

43　a．西洋人のことを，ウランダーとよんでいたから。

44　b．袷（あわせ）の着物　1841年，万次郎は14歳の時に4人の仲間とともに漁に出て遭
難。アメリカの捕鯨船に救助され，船長の養子となって米国の学校で教育を受けた。
捕鯨船の乗組員を経験したあと，日本に帰国することを決意。幕府によびよせられて，
日本の「開国」に貢献。

45　b．日本を開国させるための準備基地としてやってきた。

46　b．テッポウユリ

近代沖縄

47　a．武力を背景に琉球王国を廃止させるため。

48　b．尚泰　琉球併合後，強制的に上京。麹町区富士見町に邸宅を与えられ，侯爵としての
待遇を受けた。

49　a．旧慣温存策　王府時代の古い制度を残し，急激な改革はひかえるという政策。

50　c．宮古・八重山を中国の領土として認める。　条約は合意したが，琉球の同意を得られ
ず棚上げとなった。

51　b．自決した

52　a．頑固党

53　c．諸君は普通語さえ満足に話せないのに，英語まで学ばされている。かわいそうなので
英語の教科を廃止する。

54　b．琉球人を，台湾先住民やアイヌなどの劣等民族と同一にならべ，見世物にしているこ
とは屈辱である。

55　b．1898年

56　a．ソテツ地獄　サトウキビ農家では食料がなく，毒ぬきの不充分なソテツを食べて飢え
をしのいでいたことに由来することば。死者もでた。

沖縄戦

57　順序　①（a）→　②（d）→　③（b）→　④（c）

58　a．持久作戦

59　c．9月7日

米軍支配下の沖縄

60　b．アメリカ世

61　a．ブタ（ヤギも送られてきた）

62　c．戦果

63　a．屈辱の日

64　b．琉球政府

65　c．コーラひと口ほど

66　a．島ぐるみ闘争

67　a．そっせんして税金を納めた。

68　c．高等弁務官

69　b．甲子園の土

70 太平洋の要石　沖縄がアジアにおける重要な軍事基地であるという意味。

71 ａ．核ミサイルの発射命令。　現場指揮官の機転で誤命令とわかり，発射されなかった。

72 ｂ．夕日がまわりの建物に反射し，信号がよく見えなかった。

73 ａ．ハトを利用して運んだ。　コザ市（現・沖縄市）に鳩舎のあるハトを借り受け，船上でハトの足にフィルムを取り付けて放し，鳩舎で待ち受けていた社員がフィルムを取りはずして本社へ運んだ。

74 ａ．ベトナム戦争

75 ａ．沖縄が復帰しない限り，日本の戦後はおわらない。

76 ｃ．即時・無条件・全面返還

77 ａ．米軍車両のナンバープレートは，黄色だったから。

78 （1）ａ．ユシビン　めでたい，縁起がよいことに由来。
　　（2）ｃ．泡盛を入れる容器で，お祝いのお酒を贈るさいに使用した。

復帰後の沖縄

79 1972 年 5 月 15 日

80 ｂ．屋良朝苗

81 ｂ．植樹祭・若夏国体・国際海洋博覧会

82 ａ．車の通行が右から左へかわった。

83 平和の礎

84 ａ．米兵 3 人による少女暴行事件

85 ａ．全有権者の過半数が賛成票を投じた。

86 ｂ．九州・沖縄サミット

87 ｃ．興南高校

88 ｂ．辺野古の埋め立てに「反対」が約 72％

p. 93 ～ 100　　10　沖縄の世界遺産について，知っておきたいこと

1　A　名称：首里城跡　（1）A．漏刻門　B．奉神門
　　　（2）

※○内の図は正しく描いたもの

　　B　名称：座喜味城跡　（3）ａ．アーチ形
　　C　名称：中城城跡　（4）ｂ．アメリカ艦隊
　　D　名称：勝連城跡　（5）ａ．鎌倉　（6）ｃ．銅貨
　　E　名称：今帰仁城跡　（7）ａ．千代金丸
　　F　名称：斎場御嶽　（8）ｃ．聞得大君
　　G　名称：玉陵　（9）ａ．東室　（10）ｂ．国宝
　　H　名称：園比屋武御嶽　（11）ｃ．西塘

Ⅰ　名称：識名園　（12）b．海をのぞむことができないので，琉球の国土が広く感じる。

2　c．西表島

3　a．琉球料理・泡盛・芸能

4　a．八重山のアンガマ

5　①f　②e　③d　④c　⑤l　⑥a　⑦g（j）　⑧k　⑨j（g）

6　①野面積み　②布積み　③相方積み（亀甲乱れ積み）

p. 101〜106　　11　琉球芸能と伝統文化について，知っておきたいこと

1　①古典舞踊（c）　②民俗舞踊（b）　③雑踊（d）　④創作舞踊（a）

2　a．湛水親方

3　a．工工四

4　b．ド・ミ・ファ・ソ・シ・ド

5　（1）c．玉城朝薫　（2）e．「万歳敵討」　正解は「二童敵討{にどうてきうち}」　（3）b．立方
　（4）a．地謡　（5）a．「手水の縁」

6　①○　②×　中国から派遣された冊封使をもてなすために作られた。　③○
　④×　一幕で演じられる。　⑤○

7　①三線　②胡弓　③琴　④太鼓　⑤笛

8　（1）a．カタカシラ　b．ハジチ　（2）a．土帝君　（3）c．サン　（4）b．ワラザン

9　①フール　②火の神　③一番座　④アマハジ　⑤ヒンプン

10　（1）○　（2）×　ガラスの中に泡を取り込むのは高度な技術ではなく，廃瓶{はいびん}などを使用
　したため不純物{ふじゅんぶつ}が混じり泡が生じた。それを沖縄の海に見立てるなど，芸術品に昇華させた。
　（3）×　綾焼ではなく上焼{じょうやち}，地焼ではなく荒焼{あらやち}　（4）○　（5）×　ヤンバルでも漆は産
　したが，本土からの輸入品が主。タカラガイではなくヤコウガイ。

p. 107〜109　　12　琉球・沖縄の歴史書や文学作品について，知っておきたいこと

1　『球陽』a—ウ　　『六諭衍義』b—カ　　　『中山世鑑』c—ア
　『琉球国由来記』d—ケ　　『混効験集』e—ク　　　『おもろさうし』f—オ
　『中山世譜』g—イ　　『中山伝信録』h—キ　　　『琉球科律』i—エ

2　『古琉球』a—イ　伊波普猷　　　『沖縄一千年史』b—ウ　真境名安興
　『南島風土記』c—エ　東恩納寛惇　　　『沖縄県政五十年』e—ア　太田朝敷

3　大城立裕　a—ウ『カクテル・パーティ』　　　東峰夫　b—ア『オキナワの少年』
　又吉栄喜　c—エ『豚の報い』　　　目取真俊　d—イ『水滴』

p. 110〜111　　13　沖縄の地名・人名について，知っておきたいこと

1　①おっぱだけ　②たいほ　③かがんじ　④うてぃんだ　⑤たくし　⑥うふどう
　⑦てら　⑧おこく　⑨いりじま　⑩みんな
　私が見つけためずらしい地名　⑪各自で書く　⑫各自で書く

2　仲順（ちゅんじゅん）　　為又（びーまた）　　保栄茂（びん）　　勢理客（じっちゃく）

3　①なかんだかり　②ひが（し）おんな　③てるきな　④いれい　⑤だくえ（だくじゃく）
　⑥うしばん　⑦ぐしみやぎ　⑧すがま　⑨ねろめ　⑩へんな

4　〔改姓〕①島・島田　②安田　③小川　④平山　⑤高安
　〔読み替え〕⑥つかやま　⑦ひやね　⑧あしとみ　⑨にしひら　⑩ともよせ

5　①新嘉喜　②冨名腰　③宇栄原　④名嘉山　⑤真栄原　⑥真栄城

6 1位（比嘉） 2位（金城） 3位（大城）

1 羽地朝秀 a―イ 蔡温 b―エ 程順則 c―オ 儀間真常 d―ウ
宜湾朝保 e―ア

2 （1）b．野國總管 （2）a．自了 bの呉師虔は中国で画技を学ぶ。朱肉の製法も伝える。cの向元瑚は，多くの御後絵（国王の肖像画）を残した絵師として有名。
（3）a．平田典通 bの仲村渠致元はたえず新しい技術を研究し，白焼陶器を広めた。cの張献功は薩摩から招かれた朝鮮人陶工で，琉球に本格的な陶芸技術を伝えた。
（4）c．高嶺徳明 唐名は魏士哲（ぎしてつ）。aの松茂良興作は泊手（空手）の達人。bの仲地紀仁はベッテルハイムから牛痘種痘の技術を学び，1848年に接種に成功した人物。
（5）b．堆錦（ついきん） 漆に顔料（がんりょう）をまぜてもち状にし，それを薄（うす）くのばして文様の形に切りとって貼（は）りつける技法。螺鈿は，ヤコウガイなどの薄い真珠層（しんじゅそう）の部分を彫刻（ちょうこく）して漆地（うるしじ）や木地などにはめこむ技法。沈金は，漆面を刃物で文様を彫り，その痕（あと）に金箔（きんぱく）や金粉（きんぷん）をおしこむ技法。
（6）c．玉城朝薫

3 （1）a．伊波普猷 （2）b．當山久三 aの新垣弓太郎は中国の辛亥革命に参加して活躍。cの屋部憲通は沖縄初の軍人の一人。 （3）a．謝花昇 bの城間正安は，新潟県出身の中村十作とともに宮古島の頭懸（ずがけ）（人頭税）廃止運動に貢献。cの高嶺朝教（こうけん）は第一回県費留学生で，琉球新報の創刊に参加。沖縄初の衆議院議員の一人。 （4）c．田場盛義 aの宮城新昌はカキの養殖法の開発と普及に貢献。bの比嘉景常は県立第二中学校の美術教師として，多くの画家を育成。

4 宮良長包a―ウ 船越義珍b―オ 山之口貘c―ア 山田真山d―イ 謝花雲石e―エ

5 志喜屋孝信a―イ 比嘉秀平b―ウ 瀬長亀次郎c―カ 阿波根昌鴻d―オ
小那覇舞天e―ア 仲吉良光f―キ 大濱信泉g―エ

6 ①平良敏子 ②玉那覇有公 ③宮平初子 ④照喜名朝一 ⑤中村一雄 ⑥城間徳太郎
⑦西江喜春 ⑧宮城能鳳 ⑨比嘉聰 7 安室奈美恵

1 天（ten）→ （①tin＝ティン） 雲（kumo）→ （②kumu＝クム）
空（sora）→ （③sura＝スラ） 船（fune）→ （④funi＝フニ）
先生（sensei）→ （⑤sinsii＝シンシー）

2 今帰仁（なきじん）→ナチジン 北谷（きたたに）→チャタン 喜屋武（きゃん）→チャン
屋敷（やしき）→ヤシチ 津嘉山（つかざん）→チカザン 爪（つめ）→チミ

3 沖縄（おきなわ）→ウチナー

4 伊波（いは）→イファ 春（はる）→ファル
昼（ひる）→フィル 彼岸（ひがん）→フィガン

5 ①カーバイ ②ユンタク ③カーブイ ④クマハイ ⑤ナンジ ⑥ヒンチャー ⑦ヨーガリ

6 （1）チ ム ジュラサン （2）カ リ ユ シ （3）ア ジ ク ーター
（4）ア ラ ラ ガ マ （5）ウ ガン ブ スク
（6）ウ チ ア タイ （7）チ ム ド ン ド ン （8）マ ジ ム ン

7 （1）驚いた拍子に落としたマブイ（魂）を呼び寄せる。
（2）出会いは縁あってのもの，親しくなれば兄弟のようなものだ。
（3）なるようになる（まじめにがんばっていれば）。

153

（4）急いでいても，冷静さは失うな。急がば回れ。　（5）一人ひとりが助け合う。

（6）賢い人。

8　（1）腹が立ったら手を抑え，手が出そうになったら感情を抑えなさい。理性によって心をしずめなさいという教え。

（2）他人に痛めつけられても眠ることはできるが，他人を傷つけては，胸が痛んで眠ることができない。

（3）木は曲がっていても使えるが，根性の曲がった人間は使いものにならない。

（4）家での習慣はよそでの行いとなる。

（5）ためた雨水は，醤油を使うように大事に使いなさい。節水のこころがけを説いた言葉。

9　（1）恩納岳の向こう側は　恋人の生まれ住む村である　山をおしのけて　こちら側に引き寄せてしまおう

（2）恨めしい比謝橋は　無情な人が　私を渡そうと思って　かけておいたのか

10　（1）○　（2）○　（3）×　いらっしゃい　（4）×　びっくりしたときに使う感嘆詞

（5）○　（6）×　元気がなく何もやる気がないことをいう。　（7）○

（8）×　アンマーは平民語。士族語はアヤー。（9）○　（10）○

（11）×　神仏に手を合わせること。　（12）○　（13）×　勉強が良くできる人のこと。

（14）×　弥勒菩薩がもたらす豊かな年。豊年。　（15）○

（16）×　チュブル（頭）ではなく，マチゲ（まつげ）

p.126～129　16　琉球・沖縄の伝統行事について，知っておきたいこと

1　①火の神（ヒヌカン）　②ジュールクニチ　③ジュリウマ　④シマクサラシ
⑤清明祭（シーミー）　⑥ハマウリー　⑦アブシバレー　⑧ハーリー　⑨旧盆（シチグヮチ）
⑩エイサー　⑪トーカチ　⑫カジマヤー　⑬鬼餅（ムーチー）　⑭年の夜（トゥシヌユル）

2　①3月3日　―　bハマウリー　―　㋒サングヮチグヮーシ
②5月5日　―　aグングヮチグニチ　―　㋑チンビン・アマガシ
③11月ごろ　―　eトゥンジー　―　㋒ジューシー
④12月8日　―　cムーチー（鬼餅）　―　㋓カーサムーチー
⑤12月30日　―　dトゥシヌユル　―　㋐豚のソーキ汁

3　a．誕生―㋒　　b．生後7日目頃―㋓　　c．生後1カ月―㋐　　d．満1歳―㋑

p.130～131　17　琉球・沖縄の伝統的なスポーツや娯楽について，知っておきたいこと

1　b．空手に先手なし

2　c．相手の背中（両肩）を，地面につけた方が勝ち。

3　b．走る美しさを競う

4　a．逃げ出した牛が負けとなる

5　a．鳴き声

6　c．琉球犬

7　a．親指は人差し指に勝ち，人差し指は小指に勝ち，小指は親指に勝つ

8　b．チュンジー

p.132～137　18　ウチナーなぞなぞに，チャレンジしよう

1　b．特定の樹木に縄をむすび，縄の過不足で数えさせる。

2　a．雄鶏の卵「さようでございます。雄鶏も卵を産むことはありません」。

b．灰で編んだ縄（わらで編んだ縄を燃やした）

　　c．眺めのいい山（山をすくいとる鋤と，山を運ぶ船をお貸しください）

③　（1）天井　（2）にんにく（ウチナーグチでにんにくのことを，「フィル（ヒル）」という。昼も同様の発音をするので，言葉遊びのような，なぞなぞとなっている。）　（3）冬瓜（とうがん）。沖縄では冬瓜のことを「シブイ」という。夏が旬だが，冷暗所で保存すると冬までもつことから，冬瓜と記すようになったといわれている。　（4）「酔っ払い」または「ぐうたらな人間」（朝は二日酔いで，豚のように寝っころがり，夜になると犬のように目を輝かせてお酒を飲みに行くから。）

④　a．一匹もこなかった（二番目の歌詞では，「スルル小やあらん　大和ミジュンどやんでぃどーヘイ」（スルル小ではなく，大和ミジュンだというこうだ）となっている）
　　※スルル小はニシン科の小魚「キビナゴ」，大和ミジュンも同じくニシン科の小魚「ミズン」。

⑤　沖縄県の希望の星　答：それは君自身。

⑥　（1）「Have a nice day.」だから　（2）「の饅頭（ノー　マンジュウ）だから」

　　（3）先週（浦添市の友好都市泉州にかけている）

　　（4）タイ（ウチナーグチで二人のことをタイという）　（5）サイ（ハイサイ）

　　（6）黒猫（黒猫はウチナーグチで，クルマヤーという）

　　（7）カンムリワシ（怒ることを，おかんむりというから）　（8）友寄くん（友を寄せる）

　　（9）与世山さん（よせ，山に行くのは）　（10）運天くん（運転）

　　（11）仲宗根さん（泣かそうね）　（12）伊礼さん（異例）　（13）3人（サンニン）

　　（14）シーサーの焼き物

　　（15）おばあちゃん（おじいちゃんは，ウチナーグチでタンメーというから）

　　（16）サバ煮（舟のサバニにかけている）

p.138〜144　琉球・沖縄史年表

p.138　①白保　②市来式　③無土器　④ゴホウラ

p.139　a 1372　b 1429　c 1609

　　　　⑤冊封　⑥尚巴志　⑦護佐丸・阿麻和利　⑧万国津梁　⑨オヤケアカハチ

　　　　⑩徳川家康　⑪イモ　⑫琉球侵略

p.140　d 1853　e 1879

　　　　⑬儀間真常　⑭中山世鑑　⑮羽地朝秀　⑯組踊　⑰蔡温　⑱大津波　⑲国学

　　　　⑳ペリー　㉑琉米条約　㉒沖縄県

p.141　f 1898　g 1920　h 1941

　　　　㉓宮古・八重山　㉔県費留学生　㉕日清戦争　㉖徴兵令　㉗頭懸（人頭税）

　　　　㉘地方制度　㉙ソテツ　㉚アジア太平洋　㉛牛島満

p.142　㉜対馬丸　㉝10月10日　㉞慶良間　㉟6月23日　㊱9月7日

　　　　㊲天皇メッセージ　㊳琉球政府　㊴一括払い　㊵島ぐるみ闘争　㊶宮森

　　　　㊷沖縄県祖国復帰協議会

p.143　i 1972　j 2000

　　　　㊸戦後　㊹B52　㊺反米騒動　㊻日本復帰　㊼屋良朝苗　㊽交通方法　㊾平和の礎

　　　　㊿賛成　51九州・沖縄サミット　52普天間

p.144　53オスプレイ　54承認　55新基地建設　56玉城デニー　57反対

これだけは知っておきたいよね　おきなわのこと

発　　行　　2021年 3 月31日

著　　者　　沖縄大学客員教授
　　　　　　沖縄歴史教育研究会顧問

　　　　　　新 城 俊 昭

編集協力　　沖縄歴史教育研究会
制作印刷　　株式会社 東洋企画印刷
製　　本　　沖縄製本株式会社
発 売 元　　編集工房 東洋企画
　　　　　　〒901-0306 沖縄県糸満市西崎町4-21-5
　　　　　　TEL.098-995-4444／FAX.098-995-4448

郵便振替 01780−3−58425
ISBN978-4-909647-27-6 C0020 ￥1300E
乱丁・落丁はお取替えします。

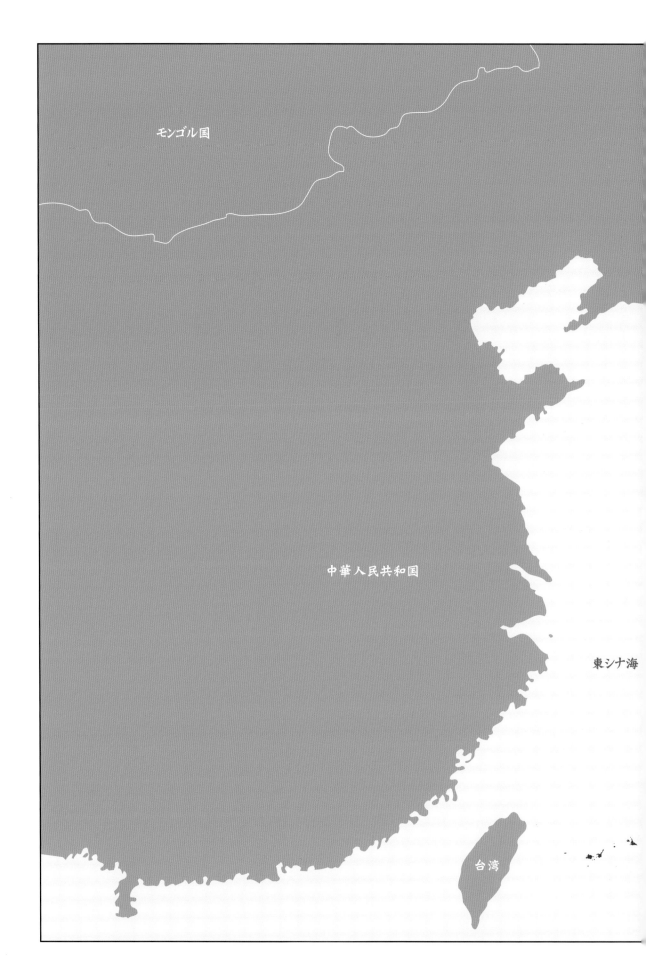